TU HIJO

PREPARACIÓN PARA EL PARTO

LOS CURSOS DE PREPARACIÓN

ENTRENAMIENTO FÍSICO

RELAJACIÓN Y RESPIRACIÓN

PLANETA D^eAGOSTINI

SUMARIO

RELAJACIÓN Y RESPIRACIÓN

Edita: Editorial Planeta-De Agostini, S.A.

Presidente: José Manuel Lara
Consejero delegado: Antonio Cambredó
Director general de coleccionables: Carlos Fernández
Director editorial: Virgilio Ortega
Director general de producción: Félix García
Coordinador general: Carlos Dorico

Realización: R.B.A., Realizaciones Editoriales, S.L.
Gerente: Jordi Hurtado
Director editorial: Ramón Castelló
Editor general: Manel Xicota
Directora de producción: Pilar Malo
Edición: Elisabet Nualart
Adjunta a la edición: Eulàlia Trius
Coordinación iconográfica: Mª Pilar Queralt
Dirección de arte: Agustí Feliu
Maquetación: Lulu Torralba
Diseño de la colección: Ferran Javaloyes
Diseño de cubiertas: Albert Majoral

Asesoría técnica: Dra. Carme Coll y Gloria Sebastià
Textos: Gloria Sebastià, Isabel Salgado y Francisca Munuera

© 1995, Editorial Planeta-De Agostini, S.A.
ISBN Obra completa: 84-395-3538-4
Volumen: 84-395-3785-9
Depósito legal: NA-11-1995

Redacción y administración:
Aribau, 185, 1º - 08021 Barcelona

Fotocomposición y fotomecánica: Foinsa
Impresión: Gráficas Estella, S. A.
Impreso en España - Printed in Spain

Distribuye para España: Marco Ibérica Distribución de Ediciones, S.A.,
Carretera de Irún, km 13,350, variante de Fuencarral - 28034 Madrid

Procedencia de las fotografías: A.G.E. Fotostock, Oriol Alamany, Alfa-Omega, Isard Alfonso, Camera Press, Firo-Foto, Godó-Foto, Image Bank, Xavier Mateu, Kim Pedrós, Phototrans, Prisma, Fototeca Stone, Zardoya.

Agradecemos especialmente la colaboración desinteresada de Mª Esperanza Baquero, Rut Carandell, M Dolors Companys, Esther Derch, Carolina España, Ana Fortuny, Ana Petit, Nuri Privat, Joaquima Rabionet, Flor Valls, del niño Adrià y su familia y del Departament de Ginecologia i Obstetrícia de l'Hospital Clínic i Provincial de Barcelona.

LOS CURSOS DE PREPARACIÓN

Cada vez son más las parejas que desean una experiencia
participativa y segura del proceso que les conducirá a la nueva
condición de padres. Los cursos de preparación les brindan
información sobre los conocimientos, las habilidades y
las actitudes más adecuadas ante la llegada de su hijo, así como
una mayor confianza y seguridad en sí mismos.

LA HISTORIA DE LA PREPARACIÓN AL PARTO

El embarazo y el parto son acontecimientos vitales, que siempre se han desarrollado siguiendo las mismas pautas. De hecho, no hay nada más natural que el proceso de la formación y el nacimiento de un nuevo ser, responsable de la continuidad de la especie humana. Sin embargo, a lo largo de la historia, todo lo relacionado con la maternidad ha sido revestido de un halo de misterio y magia que, incluso hoy en día, se conserva en algunas culturas. Los enormes avances tecnológicos y científicos, especialmente durante el siglo XX, han ido acompañados de un cambio importante en la manera de vivir el embarazo y el parto, tanto desde el punto de vista de la madre como del padre.

En el **siglo XIX**, en las sociedades industriales, el parto ya se practicaba, a menudo, **en la cama**.

Durante el **siglo XVI**, la mujer **paría de pie** y con ayuda de una matrona. Nunca el hombre estaba presente.

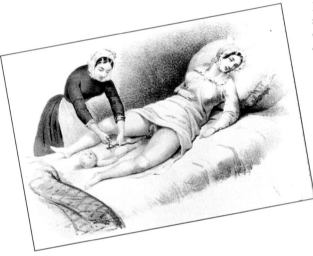

Los cuidados físicos de la mujer

Las tradiciones de culturas diferentes marcan pautas diversas de cómo debe prepararse la mujer para la llegada del nuevo hijo. Las mujeres hawaianas se dan masajes diariamente con aceite kukui para evitar la aparición de grietas. En ciertas tribus indias norteamericanas, se frotan la piel con el extremo cortado de hojas hervidas del árbol de goma, para tonificar y prevenir las estrías. El ejercicio físico también forma parte de los cuidados durante la gestación. Ya en la antigua Grecia, Plutarco aconsejaba a las jóvenes que fortalecieran su cuerpo mediante ejercicios para que al quedar embarazadas pudiera «extenderse mejor». Las mujeres zulúes practican ejercicios respiratorios como preparación para el parto y también para que el feto se fortalezca. Asimismo, algunas culturas consideran que la danza es un buen método de preparación al parto.

Los cuidados de la mente

En muchas culturas se tiene el convencimiento de que, desde el interior del útero, el feto recibe la influencia de las experiencias de la madre. Así, por ejemplo, para no perjudicar al nuevo ser, las mujeres de Humla evitan las peleas y las mujeres ibo de Nigeria ponen su mano sobre el ombligo ante una escena desagradable. Actualmente, las técnicas de relajación favorecen una buena disposición emocional ante la evolución física y psicológica que conlleva la maternidad.

Las **clases teóricas** y el **entrenamiento psicofísico** son los pilares fundamentales de los actuales cursos de preparación a la maternidad en las sociedades industriales.

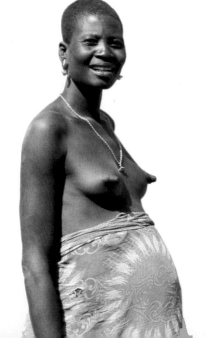

Las **mujeres turkanas**, en Kenia, siguen antiguas tradiciones de su cultura para **cuidar su cuerpo durante la gestación**.

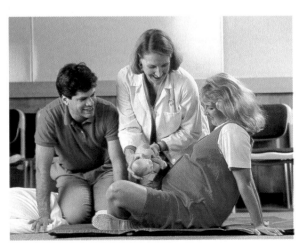

EVOLUCIÓN DE LOS CURSOS DE PREPARACIÓN AL PARTO

«Preparación maternal», «parto sin dolor», «educación maternal», «psico - profilaxis obstétrica» o «preparación prenatal» son algunos de los términos que se han utilizado para hacer referencia a los diversos conjuntos de ejercicios psico - físicos y psico - pedagógicos destinados a la embarazada. Las principales precursoras de los actuales cursos de preparación al parto son la escuela inglesa de Dick-Read y la rusa de Velvovski, Platonov, Ploticher y Shugum. El objetivo principal de ambas era suprimir el dolor en el parto. Para Dick-Read, el origen del dolor está en el temor causado por los escasos conocimientos de la mujer sobre el proceso del parto. Según la escuela rusa, el dolor está causado por la concepción que tiene la mujer de que las contracciones son inexorablemente dolorosas. La escuela inglesa de Dick-Read elaboró un método basado en la información y la confianza que el médico transmitía a la futura madre. Las principales estrategia de la escuela rusa consistían en descondicionar negativamente a la mujer.

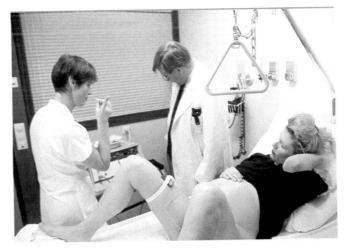

Los **conocimientos adquiridos** durante los cursos, la práctica de **ejercicios físicos** y las **técnicas** **de relajación** favorecen una adecuada **colaboración** de la mujer durante el parto.

— LA ESCUELA INGLESA —

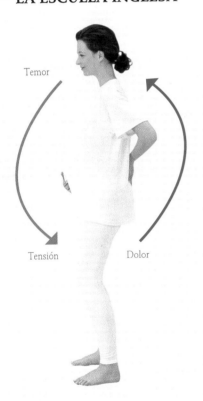

Temor

Tensión   Dolor

El miedo que siente la mujer ante el parto a causa de la falta de información crea, según Dick-Read, un estado de tensión en el cuello del útero que origina un fuerte dolor. Se crea así un círculo temor-tensión-dolor. Información, confianza entre médico y parturienta, gimnasia y relajación son las bases del método inglés para disminuir el temor y romper así este círculo vicioso de temor-tensión-dolor.

LA ESCUELA RUSA

Mujer con **cerebro pasivo**, ignorante del mecanismo del parto. Los estímulos que provienen del útero penetran en el cerebro y causan dolor.

Mujer con **cerebro activo**, lleno de focos de actividad. Los estímulos procedentes del útero no pueden alcanzar la corteza cerebral. Así pues, un cerebro activo equivale a **falta de dolor.**

El reflejo condicionado que la mujer adquiere desde su juventud, que considera que la contracción uterina equivale a dolor, hace que las contracciones del parto se sientan como fuertes dolores. Aparece entonces un reflejo condicionado contracción = dolor. Si, por el contrario, se condiciona a la mujer a realizar una determinada tarea durante el parto (respiraciones, masajes, relajación, recuerdos de las clases, etc.), el cerebro se mantiene activo y de este modo los distintos focos de atención actúan como frenos que bloquean los estímulos que llegan del útero.

LOS CURSOS DE PREPARACIÓN EN LA ACTUALIDAD

Los cambios en la visión de la maternidad, así como en todos los procesos relacionados con ella, se encuentran estrechamente ligados al concepto actual de salud. Cada vez son mayores los medios que se destinan, no sólo a preparar físicamente a la mujer de cara al parto, sino a educarla en su futuro papel de madre. El objetivo es motivar a la mujer y a su pareja a tomar parte activa en todo el proceso, viviendo todos los cambios físicos, emocionales y de relación que conlleva la llegada del bebé.

El **entrenamiento** ayuda a mantener la forma física.

El **masaje** en la zona lumbar alivia la tensión.

Entrenamiento para el parto

El parto representa un gran esfuerzo físico para la mujer. La coordinación de las diferentes partes del cuerpo que intervienen en él tiene gran importancia para el bienestar de la madre y del hijo. Un entrenamiento adecuado durante la gestación favorece el control físico y emocional en las distintas fases del parto.

Los centros de educación maternal

Las profesionales que dirigen los cursos suelen ser matronas formadas en el ámbito de la educación sanitaria materno-infantil, sin embargo, también existen de forma aislada grupos de mujeres que, basándose en su experiencia personal, imparten clases de preparación. Una profesora eficaz debe conseguir que sus alumnos comprendan algo de lo que se siente durante el parto y la realidad del impacto emocional de este acontecimiento. Es importante también que en los cursos se establezca un intercambio de ideas entre los futuros padres y la matrona que imparte el curso.

La educadora debe facilitar, no imponer, el aprendizaje a las parejas para ayudarlas en este período nuevo de sus vidas.

Básicamente existen dos tipos de centros que imparten cursos: los de carácter público y los privados. En muchos países, el sistema público de sanidad programa cursos en hospitales o centros de asistencia primaria; no obstante, el número de asistentes a los centros privados suele ser menor, lo que permite una dedicación más personalizada, además de ofrecer tratamientos de recuperación post-parto.

Los **centros** donde imparten cursos de educación maternal pueden ser de carácter público.

LA RELAJACIÓN: UN ASPECTO CLAVE DE LA PREPARACIÓN AL PARTO

La relajación es una técnica mediante la cual se somete a descanso al cuerpo y al espíritu, muy útil para afrontar el parto. La relajación del cuerpo supone un determinado tono en los músculos del mismo. El **tono muscular** es «la tensión que permite al músculo cumplir su función». La máxima tensión del músculo corresponde a la contracción, y la mínima, a la distensión. Toda contracción muscular, sea consciente o inconsciente, es un gasto de energía. Por consiguiente, toda contracción muscular que no corresponda a una finalidad es una pérdida inútil de energía. La relajación requiere un aprendizaje. Cuando una mujer se encuentra en este momento tan importante para su vida que es la preparación para ser madre, aprender a relajarse y a controlar el propio cuerpo mediante la relajación es fundamental, ya que permite el **autodominio** y **el control del gasto energético** de su cuerpo. Hay que tener en cuenta que toda tensión emocional se traduce en una mayor tensión muscular. Una tensión nerviosa alta, conlleva una tensión muscular también alta, por el contrario,

a menos tensión nerviosa corresponde una tensión muscular baja. El **control emocional en el parto** es de suma importancia, ya que será necesaria una correcta interpretación de todas las sensaciones y éstas, a menudo, pueden verse alteradas debido a una fuerte tensión nerviosa. Dado que el parto conlleva un gasto importante de energía, por medio de la relajación se logra una máxima recuperación en un mínimo tiempo.

Cuando se practican ejercicios de relajación hay que adoptar **posturas adecuadas** para proteger a la madre y al bebé.

El **entrenamiento sofrológico** es uno de los más utilizados como método de preparación. La **postura de tercer grado** permite estar **alerta** y **relajada** a la vez.

— LA PAREJA Y LA PREPARACIÓN —

Cuanto más tranquila y confiada se sienta la madre durante el parto, mayor será su capacidad para afrontar las sensaciones que se producen. Un buen apoyo para encontrar esta tranquilidad y confianza es el cariño del futuro padre. La pareja debe sentirse implicada íntimamente en todo el embarazo y así sentirá deseos de compartir las experiencias del nacimiento de su hijo. Actualmente, la mayoría de los hospitales permiten que la pareja acompañe a la partera. En el momento del parto, la pareja debe intuir qué desea su mujer, caricias, masajes, ánimo o simplemente que la dejen sola. Si la pareja ha seguido los aprendizajes de la mujer en los cursos podrá serle de más utilidad en el control de las contracciones, la respiración y la relajación adecuadas.

El futuro padre debe desempeñar un papel activo durante la preparación al parto; habitualmente simplemente bastará su presencia para **dar confianza** a la madre.

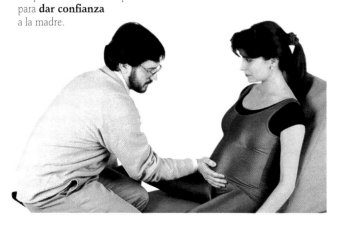

Por qué asistir a un curso de preparación a la maternidad

• Porque refuerza las capacidades de la conciencia de la mujer (confianza, seguridad, serenidad, armonía, tranquilidad, esperanza en el futuro, etc.).

• Porque favorece la aceptación de los cambios de la imagen corporal de la mujer.

• Porque se adquieren conocimientos relativos a todo el proceso: gestación, parto, post-parto, relación madre-padre-hijo, etc.

• Porque se adquieren habilidades para aplicar en el trabajo de parto (respiración, relajación, forma de empujar....) y relativos al cuidado del recién nacido (baño, alimentación, descanso...)

EL PROGRAMA TEÓRICO DE UN CURSO

Todos los cursos incluyen unas clases teóricas, a las que puede asistir tanto la futura madre como su pareja, en las que se imparten todos los conocimientos necesarios en relación al embarazo, el parto y los cuidados del bebé.

ANATOMÍA DEL APARATO REPRODUCTOR

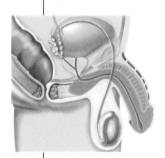 

El libro *El feto: de la concepción al parto* proporciona información que puede servir de gran ayuda para seguir las **clases teóricas.**

Los cursos teóricos suelen empezar por adentrarse en el mundo de la reproducción y explicar, desde su inicio, la formación de las células reproductoras, su encuentro y, por consiguiente, el estallido de la nueva vida y su rápida evolución para, en el corto tiempo de 280 días, convertirse en un ser completo, vivo e independiente. Seguir de cerca los cambios que supone la formación de un nuevo ser cuando se están viviendo en el propio organismo, no sólo ayuda a la mujer a comprenderse mejor a sí misma, y a entender las manifestaciones de su embarazo, sino que potencia esa entrañable relación de afecto que la madre siente por el hijo aún antes de su nacimiento.

CUIDADOS DE LA EMBARAZADA

El libro *Embarazo mes a mes* de esta colección proporciona todos los **consejos necesarios** para un buen cuidado de la embarazada.

La gestante que recibe información sobre la fisiología de la gestación, además de conseguir una mayor aceptación de los cambios corporales y en ocasiones de las molestias que estos cambios conllevan, da mucha mayor importancia a los cuidados sistemáticos del cuerpo, y consigue una verdadera actitud preventiva en aspectos como el cuidado de las mamas y su preparación para la lactancia, el mantenimiento de una dieta adecuada, los hábitos higiénicos y los ejercicios psicofísicos, así como la prevención de molestias osteo-musculares.

CONTROL MÉDICO DEL EMBARAZO

El libro *Control médico del embarazo* desarrolla los contenidos de esta parte del programa teórico.

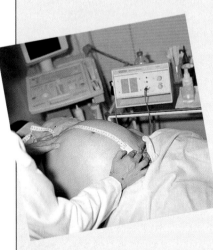

El control del embarazo desde su comienzo es trascendental para garantizar el correcto desarrollo del feto y el mantenimiento de la salud de la madre. En los cursos de preparación se informa a la gestante de cuáles son las revisiones periódicas a las que debe someterse y de cuáles son las posibles complicaciones y las soluciones a las mismas. Los controles, en un embarazo normal, van dirigidos prioritariamente a la prevención de complicaciones, pero si el embarazo coincide con enfermedades maternas (diabetes, cardiopatías, anemia...) o trastornos fetales (retraso del crecimiento, prematuridad...) consideradas como de riesgo elevado, además de los controles habituales, se requerirán otros específicos.

PARTO: FASES Y CONTROL

Toda embarazada manifiesta interés por saber cómo se desarrolla un parto como fase final de la gestación y cuáles son sus fases, por ello este tema ocupa una parte esencial en las clases teóricas de los cursos. Toda la información que la gestante reciba en los cursos sobre el parto servirá para poder controlar y, en cierta manera, dirigir y enriquecer el proceso del parto al cual, sin esta información, se llega con más temor. En estas clases se aprende qué es una contracción, cómo se expulsa el feto, qué es el trabajo de parto y de qué fases consta.

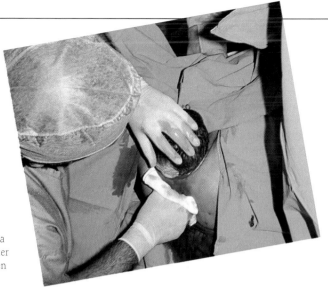

El libro *El parto* de la colección *Tu hijo* te proporciona también la información teórica necesaria para conocer las **fases del parto** y su control y conseguir un buen **cuidado de la parturienta**.

PUERICULTURA

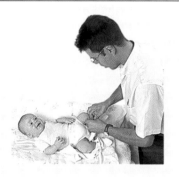

Son muchos los libros de nuestra colección que le proporcionarán información de cómo cuidar a su bebé, entre otros: *Cuidados del bebé*, *El primer año de vida*, *Crecimiento y desarrollo emotivo del bebé*...

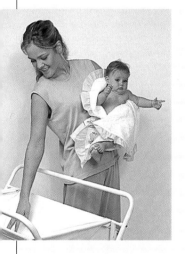

A los futuros padres les preocupa cómo van a conseguir el bienestar del recién nacido, cómo subsanar sus necesidades físicas de alimentación, higiene, sueño... En las clases teóricas de los cursos también se enseñan los conocimientos básicos relativos a este tema. ¿Cómo preparar el baño? ¿Cómo debe dormir al bebé? ¿Cómo deben ser su ropa, sus juguetes...? Todas estas preguntas tienen su solución en las clases teóricas de puericultura, y ésta debe conocerla tanto las madres como los padres. No hay que olvidar en ningún momento que la tarea de ser padres es compartida y que, así como en todo lo relativo al embarazo y al parto la madre tiene el papel de protagonista, por lo que se refiere a los cuidados del nuevo ser la responsabilidad es de la pareja. Asimismo, con frecuencia, los cursos informan de cuál es la evolución normal del bebé durante su primer año y del papel que el pediatra desempeña en el control de la misma.

PUERPERIO Y LACTANCIA

La preparación maternal debe implicar necesariamente el conocimiento de los cambios corporales posteriores al parto y las técnicas para la lactancia. En las clases teóricas se habla de lo que es el puerperio y se describen todos los fenómenos y cambios que en él se producen. Quedan explicados conceptos como la involución uterina, los entuertos, el alta hospitalaria... Asimismo, las clases teóricas comprenden explicaciones sobre los beneficios de la lactancia y la importancia del contacto entre la madre y el recién nacido. Se aprenderá la postura correcta para amamantar, los cuidados del pezón... y se adquieren nociones sobre la fisiología de la lactancia, los mecanismos de secreción, la dieta a seguir, etc. Como parte de los contenidos teóricos los cursos incluyen también conocimientos sobre la depresión post-parto y los cambios psíquicos que el nacimiento puede comportar.

Tanto el libro *El parto* como el que se titula *Cuidados del bebé* contienen amplia información sobre el **puerperio** y la **lactancia**.

EL CONTACTO CON EL MEDIO HOSPITALARIO

Es importante conocer y, en la medida de lo posible, escoger el medio en el cual se desarrollará el proceso del parto. Conocer el lugar, la manera de llegar hasta él y los pasos o procedimientos a seguir, disminuirá el temor a lo desconocido y agilizará el proceso de ingreso y, posteriormente, el parto. Muchos cursos de preparación a la maternidad programan actualmente una visita al hospital para que las parejas conozcan la sala donde la parturienta será explorada, las habitaciones donde se llevará a cabo la dilatación, la sala de partos, la zona de hospitalización, el nido.etc.

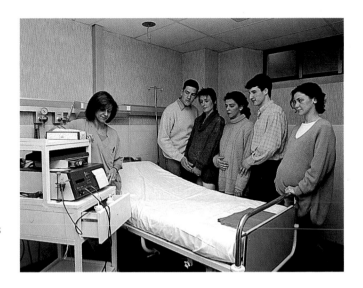

LA ELECCIÓN DEL CENTRO

En la actualidad, los futuros padres suelen tener la posibilidad de escoger el lugar donde quieren recibir a su hijo. En la mayoría de los países de las sociedades industrializadas contemporáneas existen tres opciones: **los centros hospitalarios de la red sanitaria pública, los centros o clínicas privadas** y **el domicilio particular**. Para decidirse es recomendable acudir a varios centros a informarse y valorar distintos aspectos como son: las habitaciones y el nido, de qué servicios se dispone, qué personal le atenderá, dónde se encuentra el centro en relación al domicilio de la pareja y cuál es su coste. La opción del parto domiciliario debe contemplar de forma especial las medidas que garanticen la seguridad de la madre y el hijo y su posible traslado rápido a un centro hospitalario en caso de que haya complicaciones.

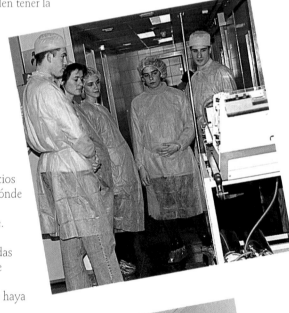

Una visita a los centros de nuestra población posibilita saber de qué **recursos** dispone el hospital y qué **servicios** pueden proporcionar sus salas, lo cual es muy importante para escoger el centro que se ajuste más a sus preferencias y necesidades.

El **contacto previo** con el medio donde se desarrollará el parto es importante para mitigar temores.

La visita a los centros a los que la pareja tiene posibilidad de acudir ayuda a **escoger el mejor lugar** para el parto.

El personal sanitario en relación al parto

• *El ginecólogo: el facultativo que atiende el parto es especialista en obstetricia y ginecología. Durante el parto, se encarga de asistir a la madre y al hijo y es el responsable de decidir, en caso de que sea necesario, si hay que practicar una cesárea o algún tipo de intervención quirúrgica. Suele examinar a la gestante y decide cuándo hay que llevarla a la sala de partos.*

• *La matrona: durante todo el trabajo de parto asiste a la futura madre, le indica cómo debe actuar en cada momento. Dependiendo del centro y del parto interviene también en la fase final junto al médico.*

• *El anestesista: siempre que durante el parto se practique algún tipo de anestesia, se requerirá la presencia de un anestesista que controle la dosis de la misma y la evolución de su efecto en la parturienta.*

• *El neonatólogo: inmediatamente después del parto otro médico, el pediatra especializado en recién nacidos, examinará al bebé.*

LA VISITA AL CENTRO HOSPITALARIO

Las futuras madres deberían visitar la salas siguientes: la sala de admisiones o de exploración, la sala de dilatación, la sala de partos y primeros cuidados del recién nacido, la sala de maternidad, visitando, si es posible, las habitaciones y la sala de cuidados del bebé. Es conveniente que estas visitas las realicen acompañadas por la pareja y algún miembro del personal de la clínica maternal, que despejará en este momento las dudas que todavía queden en cuanto a los servicios o tipo de asistencia que se desea recibir. También se puede aprovechar esta visita para reconocer el trayecto desde el domicilio y la forma de acceso al servicio de urgencias del hospital.

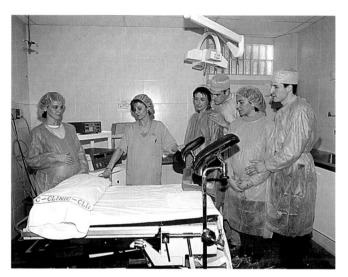

La visita a la **sala de partos** mostrará a la pareja que en ésta prima la **higiene** y la **funcionalidad**, por lo que su mobiliario es el indispensable para asegurar la correcta asistencia de la madre y el niño. Aunque cumpliendo de forma estricta las normas de higiene y esterilización, se intenta **armonizar el resto del equipamiento** y alejar la sala de partos de la imagen puramente hospitalaria que solía ofrecer hace algunos años.

Este es el aspecto de una sala de partos con la **mesa obstétrica** en posición tumbada.

En la sala donde se desarrolla la **fase de dilatación** se controlarán el grado de bienestar fetal y las contracciones uterinas de la parturienta.

En la misma sala de partos o en una sala adyacente se podrá conocer el equipo de **cuidados del recién nacido** y reanimación , que se encuentra siempre a punto para ofrecer al recién nacido la asistencia que precise. Además de todo lo necesario para los cuidados sistemáticos, el equipo de reanimación cuenta con el instrumental y la medicación necesaria para asistir cualquier emergencia en los primeros minutos de vida.

Algunas veces el recién nacido precisa ingresar en una **unidad de cuidados especiales**. También es recomendable que los futuros padres conozcan este espacio por si deben acudir a él. Esta sala está acondicionada para que él bebé reciba cuidados médico-sanitarios especiales. Si todos los niños necesitan que sus padres les toquen, les hablen, les tranquilicen, el bebé enfermo precisa aún más de esta relación afectiva con sus progenitores, tan importante para la salud como la ayuda de la moderna tecnología. Por ello, si la pareja ya conoce el funcionamiento de este lugar y sus normas actuará con mayor tranquilidad.

QUÉ ES...

La monitorización

El monitor electrónico es un aparato que permite controlar simultáneamente el bienestar del feto y la dinámica uterina. (frecuencia e intensidad de las contracciones). Su utilización es sencilla e inocua. Durante el embarazo se utilizará como método de diagnóstico o de control del bienestar fetal. Por ello, es sumamente importante la monitorización periódica en aquellas gestantes consideradas clínicamente de riesgo elevado. En el momento del parto, la monitorización permite controlar el estrés del feto, así como la dinámica uterina.

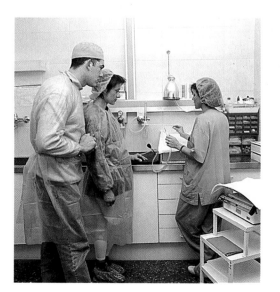

Al lado de la sala de partos, el centro sanitario debe disponer de un lugar para **la cura y la reanimación** del recién nacido.

La **sala de incubadoras** es un lugar imprescindible para los cuidados y la recuperación de niños prematuros o enfermos.

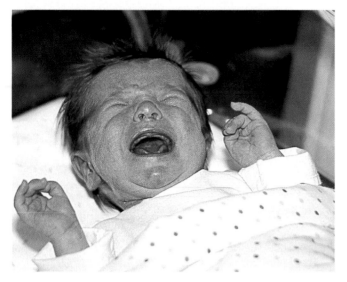

LAS CLASES DE PUERICULTURA

Los nuevos padres, tras la euforia del nacimiento de su primer hijo, se plantean un sinfín de preguntas sin respuesta que crean en ellos una gran sensación de angustia ante su nuevo papel. A estos miedos y dudas se suma, en el caso de la madre, las molestias físicas del puerperio y los trastornos hormonales que puede suponer una depresión post-parto. Conocer de antemano estas situaciones, así como tener nociones sobre los primeros cuidados del recién nacido, evitará tensión y estrés en los padres, lo que conllevará una mejora en el bienestar de su hijo; por ello, todos los cursos cuentan con clases de puericultura.

APRENDER LOS CUIDADOS BÁSICOS DEL RECIÉN NACIDO

En los cursos de educación maternal se practican, con muñecos o mediante la observación directa en un nido, los cuidados básicos e inmediatos que todo recién nacido precisa, es decir: cómo **limpiar y cuidar el cordón umbilical**; cómo **coger y sostener al bebé**; cómo mantener una **buena relación afectiva** con el recién nacido; cómo **iniciar la lactancia**, tanto si ésta es natural como si es artificial; cuáles deben ser los **controles de salud** del recién nacido; cómo debe practicarse **el baño** y cuánto y dónde debe **dormir** el lactante. También se enseña en estas clases cómo **estimular correctamente al bebé** para que crezca feliz y aprenda con rapidez.

1 Una de las clases más ilustrativas, por cuanto que los padres novatos desconocen totalmente el tema, es la lección de cómo debe realizarse la **cura del cordón umbilical**. La enfermera les explicará que ésta debe hacerse, por lo menos, una vez al día y repetirse siempre que sea preciso.

2 Una vez practicada la **limpieza de la zona umbilical**, la enfermera enseñará cuáles deben ser las precauciones en torno a ésta y cómo debe taparse. Los futuros padres aprenderán que los restos de cordón umbilical se necrosan y caen alrededor de una semana después del parto.

3 En las clases de puericultura también se aprende cómo **vestir al bebé**. Es importante utilizar ropa delicada si debe estar en contacto con la piel del bebé y evitar adornos que puedan ser peligrosos o molestos. Puesto que los recién nacidos pierden calor con facilidad, debe tenerse en cuenta que el ambiente ha de ser cálido en el momento de quitarle la ropa.

4 Finalmente, es básico que las clases prácticas de puericultura comprendan el aprendizaje de **cómo coger al bebé** sin temor ni prisas. Hay que recordar que el abrazo debe ser siempre una demostración de afecto que transmita al niño sensación de cariño y seguridad.

LA CANASTILLA A PUNTO

Los cursos de preparación a la maternidad aconsejan también a los futuros padres respecto a lo que hay que tener a punto para el recién nacido una vez éste llegue a casa. A partir del 7 ° mes de gestación, es posible que se produzca un ingreso hospitalario en cualquier momento, por lo que hay que tener todo lo necesario para atender al bebé en casa y contar con lo necesario para ir a la clínica u hospital. Habitualmente, en los hospitales de la red pública no suele ser necesario llevar ropa para el recién nacido, a excepción de la muda para el día del alta; sin embargo, en los centros privados solicitan ropa y material de aseo durante los días de hospitalización.

Actualmente existen diferentes tipos y colores de pañales que llevan a confusión a los nuevos padres a la hora de adquirirlos. Por su comodidad se aconseja la **braguita-pañal desechable**. El recién nacido utilizará siempre la talla más pequeña.

La lista de cosas en las que hay que pensar para el bebé contiene básicamente **ropa, pañales** y **objetos de aseo**.

Es bueno disponer de **chupetes** para el recién nacido. Son aconsejables los de forma anatómica y es recomendable tener siempre más de uno por si el bebé lo pierde.

Dado que la piel del bebé es extremadamente delicada suelen utilizarse, durante los primeros días, **camisetas de batista o de algodón**, que deberán lavarse siempre con jabón neutro.

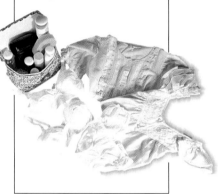

El equipo necesario para la madre

Para el ingreso en la clínica en el momento del parto la madre debe disponer de camisones anchos, abiertos por delante para facilitar la lactancil y sin mangas que aprieten el brazo. En su neceser personal, además de los objetos de aseo habituales, es aconsejable disponer de compresas y bragas deshechables.

El nombre del bebé

Antes del parto los padres suelen pensar en el nombre de su futuro hijo. A la hora de escoger el nombre de su hijo deben tener presente las cuestiones siguientes:

- *¿Será el nombre adecuado a lo largo de toda su vida?*

- *¿Si la familia o el entorno es bilingüe, cómo suena en ambos idiomas?*

- *¿Cómo se adecua el nombre a los apellidos del niño?*

- *¿Forman las iniciales del nombre completo una palabra cuando se los sitúa juntos?*

- *¿Se siente usted contento con cualquier asociación que pueda establecerse con el nombre escogido?*

- *¿El nombre elegido permite algún tipo de burla?*

Muchos padres deciden el nombre del bebé con antelación, pero algunos prefieren esperar a verle la cara para decidirlo.

RECUERDE

No olvide tener preparados los documentos necesarios para el ingreso en el hospital, su documento nacional de identidad y el libro de familia que permitirá al padre tramitar los papeles del registro civil. Si el ingreso es en un hospital público habrá que presentar la cartilla sanitaria y, si es en un hospital privado, los documentos de la mutualidad o el depósito en efectivo del coste del servicio. Tenga también a punto una lista de los familiares o amigos que quiere avisar cuando se produzca el nacimiento.

El **equipo de aseo** del bebé debe contener jabón neutro especial para recién nacidos, colonia, crema hidratante, peine, cepillo y unas tijeras de punta redonda para las uñas. Es recomendable también tener dos esponjas para lavar al niño, una para el cuerpo y otra para los genitales y el culito.

A pesar de que estoy asistiendo a un curso de preparación a la maternidad y de que procuro mantenerme informada sobre cuál es el proceso del parto, no puedo dejar de sentir temor ante este acontecimiento. ¿Qué debo hacer?

Es normal que, por herencia cultural, la mayor parte de las mujeres sientan miedos o temores al afrontar su primer parto. Hace bien en asistir a un curso de preparación, puesto que en el mismo aprenderá todo lo que necesita saber sobre el embarazo, el parto y el puerperio. Si sigue sintiendo temor debe aplicarse al máximo en el aprendizaje de técnicas de relajación para controlar el miedo a lo desconocido y evitar una pérdida gratuita de energía durante el parto.

Aunque ya sé que es importante que mi pareja participe activamente en el parto, él no desea estar conmigo durante el parto porque teme impresionarse demasiado. ¿Debo intentar convencerlo o por el contrario es mejor que entre sola a la sala de partos?

Tal como se ha dicho, es importante que el hombre esté al lado de la mujer cuando ésta va a dar a luz. En la mayoría de los hospitales y clínicas no sólo permiten sino que recomiendan que la pareja asista al parto. Intente convencer a su marido de que le acompañe y pídale que asista con usted a las clases teóricas de preparación al parto para que la información sobre la evolución normal de un parto le permita afrontar con entereza la situación. Demuéstrele cuán importante es para usted su presencia en un acontecimiento tan trascendente de sus vidas. El hijo va a ser de los dos y, por ello, ambos deben implicarse en todo lo que tiene que ver con él. Comente con su pareja que quiere que le ayude durante el trabajo de parto, que le acompañe durante las contracciones y que le dé el soporte moral necesario para vivir con enteresa y gozo el nacimiento de su hijo. Hágale ver que el parto no se limita al período expulsivo, que posiblemente sea lo que él teme que le impresione, y que tanto usted como su futuro hijo le necesitan.

Mi madre insiste en que debo tener toda la ropa del bebé preparada desde el 5º mes de embarazo por si acaso; además, quiere que compre algunas piezas de ropa como ombligueros o pañales de gasa que se usaban en su época pero que ninguna de mis amigas ha utilizado con sus bebés. ¿Qué debo hacer?

No es necesario que empiece a preparar la canastilla tan pronto, aunque un exceso de celo no puede ser contraproducente. En cuanto a la ropita y accesorios que debe preparar, le recomiendo que siga exactamente las instrucciones del centro donde va a parir y de la educadora que le imparta el curso de preparación; ambas fuentes de información seguro que están más actualizadas que las recomendaciones de la futura abuela.

Estoy en el 2º mes de embarazo y ya empiezo a notar que se me ensancha la cintura. ¿No es demasiado pronto?

A menudo la evidencia del embarazo se hace patente enseguida. Suele pasar en mujeres muy delgadas cuyo útero no tiene tanto espacio para desarrollarse como en mujeres más corpulentas. También puede ser debido a la acumulación de grasa que provoca un aumento de peso demasiado rápido. Asimismo, otro factor que puede causar este ensanchamiento de la cintura es la distensión intestinal, muy frecuente en los primeros meses del embarazo.

Aunque sigo las recomendaciones alimenticias de mi médico y no como demasiado, sufro de acidez. ¿Puede afectar al feto este fenómeno?

Hay creencias populares que aseguran que la acidez está relacionada con el crecimiento del pelo del feto, pero esto no es cierto. La acidez es debida a la relajación de la vávula que hay entre el esófago y el estómago a causa de la opresión uterina, y esto permite el paso de jugos digestivos ácidos hacia el esófago. Los ácidos gástricos irritan el revestimiento del esófago provocando la sensación de quemazones, lo que se conoce popularmente como acidez. Siga las recomendaciones de su médico al respecto, puesto que el problema suele agravarse si no se toman las medidas oportunas.

RECUERDE

• *Desde la Antigüedad, todas las culturas han transmitido formas de preparación al parto que incluían tanto una preparación física como una preparación mental.*

• *Los precursores de los actuales cursos de preparación a la maternidad pretendían, por medio de métodos diversos, combatir el dolor del parto.*

• *En la actualidad, los cursos de preparación a la maternidad se conciben desde una perspectiva más amplia que incluye, no sólo la preparación psicofísica para el parto, sino también toda la información necesaria para que la pareja viva con intensidad y gozo su nueva condición de padres.*

• *En muchos países, los cursos de preparación a la maternidad se incluyen en los programas públicos de salud. También existen centros privados especializados que los imparten.*

• *El padre adquiere un nuevo papel en los cursos actuales de preparación a la maternidad. No sólo debe prepararse para recibir y cuidar a su hijo igual que la mujer, sino que tiene una función importantísima de apoyo a su pareja durante todo el proceso de embarazo y parto.*

• *Todos los cursos de preparación a la maternidad incluyen, además de una preparación psicofísica de la embarazada, un programa teórico para informar a los padres de todo lo que deben saber sobre el embarazo y el parto.*

• *La mayor parte de los cursos incluyen en sus clases prácticas un entrenamiento de los cuidados básicos del recién nacido y una visita al centro hospitalario en el que será atendida la parturienta.*

ENTRENAMIENTO FÍSICO

El parto es para la mujer una fuerte explosión de sensaciones nuevas. Si la mujer embarazada conoce y controla su cuerpo a través de la experiencia de un entrenamiento continuado, sin duda le será mucho más fácil poder sincronizar sus sensaciones durante el parto. Asimismo, una buena condición física asegura un embarazo feliz.

EL BIENESTAR FÍSICO

Los programas de ejercicios de gimnasia prenatal no son un invento moderno: ya en la Antigüedad los griegos reconocían que el ejercicio es una forma de mejorar los parámetros fisiológicos del organismo durante el embarazo. Hay documentación acerca de la gimnasia prenatal que se enseñaba a todas las jóvenes griegas en edad escolar, como preparación para sus futuros embarazos. Sin embargo, las prescripciones actuales de los ejercicios se basan en investigaciones sobre la química muscular, la fisiología cardíaca y pulmonar, y los efectos del sistema nervioso central sobre los músculos.

LA GIMNASIA PARA EMBARAZADAS

El **ejercicio regular** permite a la mujer embarazada aliviar dolores de espalda, calambres y problemas circulatorios, así como estreñimiento y cansancio. También, aumenta su energía y, después del parto, favorece una rápida recuperación.

Un adecuado entrenamiento psicofísico durante la gestación debe proporcionar bienestar durante el embarazo, control emocional y coordinación corporal en el parto y una rápida y correcta recuperación física post-parto. Pero el parto no es un evento atlético, para el que la embarazada tiene que entrenarse como un corredor de maratón. La mujer debe disfrutar de sus cambios corporales y aceptar los ejercicios que puede realizar con ellos. Lo más importante del entrenamiento prenatal es que la mujer aprenda a conocer su cuerpo, sus reacciones ante los esfuerzos, su capacidad de recuperación y los medios que voluntariamente puede utilizar para irse adaptando a las exigencias que el embarazo y el trabajo de parto reclaman.

LA EMBARAZADA DEPORTISTA

Con seguridad, el punto de partida de una mujer embarazada que sea deportista es diferente. Por lo general, la mujer deportista conoce su cuerpo; sin embargo, los cambios propios del embarazo también le afectan y, posiblemente, la necesidad de sentirse en forma es de vital importancia para ella. El programa de ejercicios físicos para la mujer deportista debe ser más intenso, ya que su estructura corporal se lo permite. Asimismo, podrá continuar con su especialidad deportiva siempre que ésta no requiera un traqueteo excesivo, que sería un riesgo para ella y su hijo. Por otra parte, el aprendizaje de las técnicas para aplicar durante el parto es igual para todas las mujeres, deportistas o no. Aunque la gestante esté acostumbrada a hacer ejercicio o sea una profesional del deporte (entrenadora, tenista, nadadora…) probablemente no ejercite de modo específico los músculos claves que intervienen en el parto. Por ello, la mujer deportista también tendrá que concentrarse en preparar de forma correcta la espalda, la musculatura de la base pélvica, los abdominales y aprender a coordinar su cuerpo para el trabajo del período

La **gimnasia** siempre debe estar **coordinada con la respiración**. Probablemente, la embarazada deportista estará acostumbrada a ello y le será más fácil aprender los ejercicios específicos de entrenamiento para el parto.

EL EQUIPO NECESARIO

Los ejercicios de preparación deben realizarse en **calcetines**, nunca con calzado deportivo.

Para realizar los ejercicios, la mujer debe llevar **ropa cómoda** y que no le apriete.

No es necesario un equipo deportivo sofisticado para realizar correctamente los ejercicios de preparación al parto. Basta tener en cuenta vestirse con ropa cómoda (camisetas anchas, chándals, mallots grandes...etc.). Normalmente en los centros donde imparten cursos poseen colchonetas y cuñas aptas para adoptar todas las posturas cómoda y correctamente.

En la mayoría de ejercicios, para que la gestante esté cómoda y mantenga la postura correcta, es necesaria una **cuña de espuma**.

Todos los ejercicios deberán hacerse sobre una **colchoneta** delgada.

RECUERDE

• *Practique los ejercicios cada día; de otro modo no se obtendrán los beneficios deseados.*

• *Aprenda la forma correcta de respirar en cada ejercicio; nunca haga un ejercicio en apnea (aguantando la respiración).*

• *Dedique un rato a la relajación despúes de practicar los ejercicios.*

• *No utilice calcetines apretados; activar la circulación de retorno es un objetivo prioritario.*

Es conveniente **practicar** también los ejercicios cada día **en casa**.

CONSEJOS PRÁCTICOS

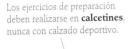

Cuándo se debe empezar la gimnasia de preparación

La mayoría de comadronas que realizan cursos de preparación física recomiendan que los ejercicios físicos se inicien durante el segundo trimestre de embarazo. En este momento, la mujer empieza a notar más su vientre y comienza a familiarizarse con su nueva forma. No es conveniente que se tarde demasiado en emprender el entrenamiento psicofísico, puesto que cuando la gestación se encuentra ya muy avanzada será muy difícil entrenar el cuerpo adecuadamente. Un buen entrenamiento mejorará la conciencia que la mujer tiene de sí misma, ya que aprenderá a utilizar su propio cuerpo de una forma diferente por ello es tan importante que se empiece la preparación física en el momento oportuno, cuando ya sea evidente su embarazo, pero antes de que se sienta demasiado pesada.

Es recomendable empezar el entrenamiento físico a partir del **5º o 6º mes** de embarazo.

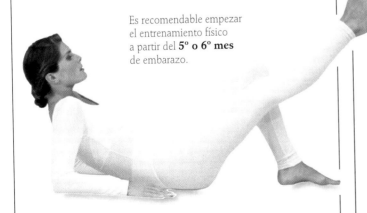

LA GIMNASIA EN CASA

Aunque el indicar la forma de hacer los ejercicios, las posturas correctas a adoptar, cómo deben ser las respiraciones en cada caso concreto y las veces que deben practicarse los movimientos es responsabilidad de la comadrona que imparte el curso prepartorio, también es necesario que la embarazada practique, cada día, un poco en casa para que la preparación resulte eficaz.

Además, si la pareja asiste algunas veces a las sesiones de entrenamiento físico, podrá ayudar a la mujer a ser regular en su ejercitación diaria en casa y animarla para que sea constante.

La comadrona, durante las clases en el centro, indicará a cada mujer cuáles son las posturas que debe corregir, qué ejercicios debe practicar más, cuántas veces conviene que haga diariamente cada ejercicio, etc. Es importante que la embarazada no defallezca y siga los consejos de la preparadora, que no sea perezosa y que piense en el bienestar de su futuro hijo y en que su propio cuerpo vivirá mucho mejor el embarazo si se mantiene en forma.

EJERCICIOS DE LAS EXTREMIDADES INFERIORES

La gravidez provoca con frecuencia dificultades circularorias en las piernas, que pueden llevar a la hinchazón de los tobillos y a edemas, favoreciendo, asimismo, la aparición de varices o el empeoramiento de las ya existentes. El objetivo de los ejercicios siguientes (que deben hacerse en orden de aparición) es movilizar las articulaciones de las piernas, desde los dedos de los pies hasta la cadera, y adoptar posturas en las que los talones estén más altos que las nalgas para favorecer el retorno venoso.

MOVILIZACIÓN ARTICULAR DE DEDOS Y TOBILLOS

1 Para realizar este ejercicicio túmbese boca arriba y haga descansar el tobillo derecho sobre la rodilla izquierda. Una vez en esta posición, realice el **movimiento de extensión desde el tobillo hasta la punta de los dedos.** Mantenga el resto del cuerpo en reposo. Respire libremente.

2 En la misma posición, realice un movimiento de **flexión de los tobillos y los dedos de los pies.** Siga respirando libremente.

El programa de ejercicios circulatorios está compuesto por tres ejercicios que garantizan la movilización de las articulaciones de los dedos de los pies, los tobillos, las rodillas y las caderas. Es muy importante prestar atención a las sensaciones derivadas de cada movimiento, así como mantener distendidas las partes del cuerpo que no intervienen en el movimiento. En el primer ejercicio, la articulaciones que se trabajan son las de los pies, para ello debe apoyarse el pie de una pierna sobre la rodilla de la pierna contraria y hacer el movimiento que se indica.

MOVILIZACIÓN DE TOBILLOS, RODILLAS Y CADERAS

En el segundo ejercicio del programa de movimientos para mejorar la circulación de retorno de las extremidades inferiores se movilizan las articulaciones siguientes: tobillo, rodilla y cadera de forma progresiva. Igual que en el ejercicio anterior, es importante que la espalda se apoye cómodamente sobre una cuña inclinada para que la columna vertebral se mantenga en una postura correcta. Todos los ejercicios de este programa deben repetirse cada vez con más frecuencia. Los primeros días debe hacerse cada movimiento cinco veces e ir aumentando el número hasta llegar a 20.

1 Mantenga la misma posición del ejercicio anterior, echada boca arriba . **Flexione una pierna sobre el vientre** a la vez que mantiene el pie totalmente estirado, en punta. Igual que en el ejercicio anterior, respire libremente.

2 **Estire la pierna verticalmente**. Flexione de nuevo la rodilla sobre el vientre y descanse volviendo a la posición inicial. Respire libremente. Repita los mismos movimientos con la otra pierna.

MOVILIZACIÓN DE LA CADERA

El tercer ejercicio del programa de activación de la circulación de retorno debe realizarse con las piernas elevadas y descansando sobre una pared o superficie plana. Pueden realizarse los movimientos con las dos piernas a la vez. Es de especial importancia a lo largo de todos los ejercicios tomar conciencia de que hay una parte del cuerpo que trabaja mientras que el resto se mantiene en reposo; si se mantiene esta actitud durante todo el entrenamiento físico, se habrá conseguido una disciplina que favorecerá un correcto comportamiento corporal durante el trabajo de parto. Hay que pensar que, durante las contracciones, en la fase de dilatación, el cuerpo debe mantenerse relajado mientras se perciben las sensaciones de la contracción. Es pues necesario saber mantener una zona contraída y el resto distendido.

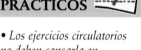

2 Manténgase en la misma postura y **rote las piernas en sentido contrario**, de manera que los pulgares de los dedos de los pies miren hacia dentro. Respire libremente. Repita el ejercicio progresivamente de 5 a 20 veces.

1 Sitúese con las piernas elevadas descansando sobre una superficie plana o un objeto alto y estable (una silla, una escalera de mano…). Mantenga las piernas totalmente estiradas y **haga girar toda la pierna de manera que los pies se abran hacia el exterior** de su cuerpo. Respire libremente.

VARIACIÓN DE LA POSTURA

Posiblemente, en el **entrenamiento domiciliario** esta postura le resultará más práctica, puesto que, a menudo, en casa no se dispone de la cuña de espuma.

Si le resulta más cómoda la postura sin apoyo en la cabeza, también pueden hacerse los ejercicios anteriores manteniendo la columna totalmente apoyada en el suelo, siempre que se situen los talones por encima de las nalgas y que se conserve una inclinación adecuada de las piernas. Un punto de apoyo en la parte baja de la espalda permite el contacto de la zona lumbar con el suelo y, de ese modo, protege correctamente las vértebras deesta parte de la columna.

Nunca deben forzarse los músculos posteriores de las piernas. Probablemente, le resultará molesto conseguir la extensión completa de la pierna. No fuerce la postura, el objetivo (favorecer la circulación de retorno) se consigue igualmente.

CONSEJOS PRÁCTICOS

• *Los ejercicios circulatorios no deben cansarla en exceso; muy al contrario, son ejercicios de descanso.*

• *Si es propensa a las varices o siente las piernas cansadas, repita los ejercicios dos veces al día.*

• *Tómese un rato de descanso con las piernas en alto a lo largo de la jornada.*

• *Cuando esté estirada no levante nunca las dos piernas a la vez: sobrecargaría su espalda.*

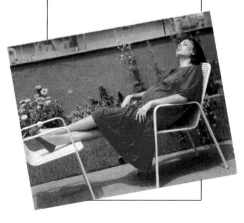

LA MUSCULATURA DEL SUELO PÉLVICO

Los músculos que soportan los órganos situados en la cavidad pélvica (incluyendo útero, vejiga y recto) se conocen, en conjunto, como suelo pélvico. Su cuidado es de especial importancia para la mujer, sea cual sea su edad y esté o no embarazada. Por el hecho de que el ser humano adoptó una posición erecta, se impuso una carga extra a estas capas musculares femeninas que, en un principio, tenían y, actualmente todavía tienen en los mamíferos cuadrúpedos, meramente una función de pared, y que han pasado a ser esenciales para el sostenimiento de las vísceras pélvicas. Hay unas etapas claves en la vida de la mujer susceptibles de modificar el estado de esta musculatura: los embarazos, los partos, los post-partos y la menopausia. Por ello, la mujer debe estar alerta y cuidarse especialmente.

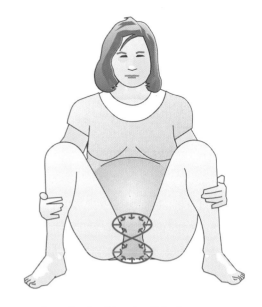

Los músculos del suelo pélvico forman un 8 alrededor de la vagina, meato urinario y ano. Aprender a contraerlos y relajarlos ayuda a la mujer tanto en el parto como después de él.

ANATOMÍA DEL PERINÉ

En la fase expulsiva del parto por vía vaginal, se produce una distensión de los músculos perineales y un estiramiento de los elementos fibro-ligamentosos de los mismos, lo que produce una disminución del poder contráctil de los músculos elevadores del ano. Por ello, el embarazo es un buen momento para empezar el entrenamiento de los músculos del suelo pélvico, que habitualmente se denomina periné. Sin embargo, todavía es más importante entrenarlos en el post-parto para lograr una correcta recuperación de los mismos y prevenir posibles secuelas derivadas de una excesiva distensión: incontinencia urinaria de esfuerzo, prolapsos y algunas alteraciones sexuales. Toda mujer debería solicitar después del parto a su ginecólogo o en el centro donde ha asistido al curso de preparación una valoración del estado del suelo pélvico que le permitirá saber cuáles son los ejercicios post-parto que le convienen.

Visión de los músculos superficiales del perineo y del suelo pélvico femenino

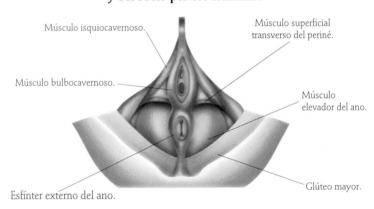

Músculo isquiocavernoso.

Músculo superficial transverso del periné.

Músculo bulbocavernoso.

Músculo elevador del ano.

Esfínter externo del ano.

Glúteo mayor.

Distensión de la musculatura perineal durante el parto

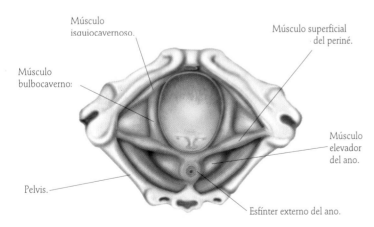

Músculo isquiocavernoso.

Músculo superficial del periné.

Músculo bulbocaverno:

Músculo elevador del ano.

Pelvis.

Esfínter externo del ano.

¡Atención!

No olvide la recuperación post-parto

Tanto como la gimnasia de preparación al parto, es importante la recuperación durante el puerperio. Algunos de los motivos para realizar gimnasia de recuperación en el puerperio son:

• *Recuperarse del aumento de peso y del consiguiente aumento de la presión intra-abdominal durante el embarazo.*

• *Corregir la aterversión de la pelvis por modificación de las curvaturas de la columna vertebral durante el embarazo.*

• *Reforzar una ya débil musculatura perineal anterior al embarazo o predisposición hereditaria a una debilidad de esta musculatura.*

EJERCICIO DE MOVILIZACIÓN DE LA CADERA Y DISTENSIÓN DEL PERINÉ

Durante el embarazo, el trabajo del periné consiste no sólo en darle fuerza sino también elasticidad. Para ello, se realizan ejercicios en los que entre en juego la separación de piernas y las contracciones de periné. A la mayoría de mujeres les resulta difícil controlar y saber ejercitar la musculatura del suelo pélvico. En realidad, antes de empezar un curso de preparación al parto, la única experiencia que suelen tener de activación de dicha musculatura se relacionan con el control de esfínteres y el orgasmo, dos momentos en los que se contraen, voluntaria o espontáneamente, estos músculos. Por ello, el primer paso para poder realizar correctamente los ejercicios de contracción y distensión del periné consiste en conocer el mecanismo para activar el movimiento de este músculo voluntariamente. Una buena manera, útil para que la mujer pueda ser consciente de cómo activar y desactivar este músculo y de su potencia, es intentar interrumpir la salida de la orina una vez empezada la micción.

1 Tumbada boca arriba, con las piernas flexionadas y los pies apoyados en la colchoneta, **coloque la mano derecha sobre la rodilla derecha mientras dobla la pierna** sobre el vientre.

2 **Desplace lateralmente la pierna derecha** todo lo que pueda, sin mover la pierna izquierda.

3 **Estire la pierna derecha** manteniéndola separada del cuerpo. Vuelva a situar la pierna en su posición inicial, manteniéndola recta hasta apoyarla en la colchoneta. Respire libremente durante todo el ejercicio. Realice el mismo ejercicio con la otra pierna. Repita el movimiento 10 veces con cada pierna.

EJERCICIOS DEL SUELO PÉLVICO

Una vez aprendido el funcionamiento del músculo, es bueno contraerlo y distenderlo muchas veces al día durante el embarazo. La contracción del periné en casa puede realizarse en cualquier momento del día, debe hacerse sin apretar el vientre hacia adentro y de forma selectiva, es decir, utilizando únicamente los músculos del suelo pélvico sin que intervengan otros. Sin embargo, en las clases, se enseñan algunos ejercicios como los que se describen a continuación, en los que además se activan otros músculos.

CONSEJOS PRÁCTICOS

• *Puede realizar ejercicios de periné con la ayuda de su pareja., le resultará más agradable.*
• *Se aconsejan 100 contracciones de periné al día para mantenerlo en forma. Aproveche cualquier oportunidad para realizarlas; nadie tiene por qué notarlo. No realice más de 10 contracciones de periné seguidas.*

1 Sentada, con las plantas de los pies encaradas y las manos en los tobillos, realice ejercicios selectivos de periné **apretando y aflojando sólo la zona del suelo pélvico**; respire libremente. Los ejercicios selectivos de periné, se pueden realizar en todas las posturas (en silla, de pie, estirada, en cuclillas).

2 Realice contracciones de periné acompañadas del trabajo de otros músculos. Sentada, con las plantas de los pies encaradas y las manos en las rodillas, **empuje con suavidad las rodillas hacia el suelo a la vez que contrae el periné**; no mueva el abdomen. Respire libremente. Con 10 o 12 repeticiones al día tendrá suficiente.

3 En la misma posición que en el ejercicio anterior, apriete con las manos hacia abajo y con las rodillas hacia arriba a la vez que contrae el periné. **Intente que la fuerza que realice con las manos y las rodillas sea la misma**, de manera que no se desplacen las piernas. Respire libremente.

EJERCICIOS COMBINADOS: ABDOMINALES, COLUMNA Y PERINÉ

Los cambios que experimenta el cuerpo de la mujer debido al embarazo requieren, para conservar un equilibrio corporal adecuado, el mantenimiento de un buen tono muscular, especialmente en la zona del suelo pélvico, en los músculos abdominales, pectorales y en toda la zona dorsal favoreciendo así una correcta curvatura de la columna vertebral y, una vez conseguido el equilibrio adecuado de los mismos, posiblemente minimizando las molestias

osteo-musculares. Una vez más, es importante insistir en que, para conseguir un grado de entrenamiento adecuado, será necesaria la práctica de los ejercicios de forma continuada a lo largo de todo el embarazo. A lo largo de los cursos, la educadora debe personalizar los ejercicios a partir del conocimiento de los puntos débiles de cada mujer para establecer en cada caso cuáles son los ejercicios a los que la gestante debe dar más importancia durante el entrenamiento.

EJERCICIOS DE BASCULACIÓN PÉLVICA

La zona lumbar, el vientre y el periné son las partes esenciales que entran en juego en los ejercicios siguientes. Con ellos se consigue fácilmente tomar conciencia de la diferencia de sensaciones entre la parte que se moviliza y la que está en reposo. Durante su realización, la respiración debe sincronizarse con el movimiento. Hay que inspirar (coger aire) cuando el cuerpo se encuentra en extensión y espirar (sacar aire) cuando el cuerpo se contrae.

BASCULACIÓN PÉLVICA TUMBADA

1 Manténgase echada con las piernas flexionadas y los pies descansando en el suelo. Repose la cabeza ligeramente elevada sobre una almohada o cuña. **Espire a la vez que contrae el vientre, las nalgas y el periné**, de forma que la zona lumbar entre en contacto con el suelo.

2 **Tome aire a la vez que se distienden todas las zonas que se han contraído**; de forma natural la zona lumbar se separará del suelo. Repita el ejercicio 20 veces.

EL GATO

1 Póngase a cuatro patas con los brazos paralelos a los muslos. **Tome aire mientras mantiene la espalda paralela al suelo** y mantenga la cabeza elevada ligeramente.

2 **Espire mientras arquea la espalda** y esconde la cabeza. Al mismo tiempo, contraiga las nalgas, el vientre y el periné.

3 Vuelva a la posición inicial y repita el movimiento. **Vigile de no hundir exageradamente la zona lumbar**.

EJERCICIO PARA EMBARAZADAS DEPORTISTAS

2 **Estire la pierna por completo** recordando mantener la cadera en posición frontal. No realice el ejercicio si no está segura de su flexibilidad. Nunca fuerce ningún movimiento.

1 Apóyese bien en una pared o superficie a la altura de sus hombros. Sujétese el empeine derecho con la mano derecha y **mantenga la pierna elevada sin girar la cadera**.

Las mujeres deportistas, debido a su buena condición física pueden continuar con su actividad. Aunque hay ciertos deportes desaconsejables, entre ellos el alpinismo, la equitación y el esquí a causa del riesgo que suponen las caídas, también es cierto que el entrenamiento de la embarazada acostumbrada a hacer ejercicio puede ser mucho más completo que el de la embarazada que llevaba una vida sedentaria antes del embarazo. En este ejercicio, además de desarrollar la flexibilidad de los músculos de las piernas también se trabajan las articulaciones de las costillas y los tres grupos de músculos pelvianos.

EJERCICIO DE ADDUCTORES Y PERINÉ

Son muchos los ejercicios que pueden hacerse para trabajar los músculos adductores y el periné, muy importantes en el momento del parto. Durante los ejercicios, no debe olvidarse nunca alternar los movimientos de reposo con los de contracción, para permitir que los músculos se reoxigenen en los períodos de descanso. El presente ejercicio debe realizarse echada boca arriba y con las piernas dobladas encima del abdomen.

1 Túmbese en el suelo boca arriba con las **piernas dobladas encima del abdomen**, junte los pies y separe las piernas ligeramente. Sitúe los codos en el interior de ambas rodillas.

2 Una vez adoptada la postura **haga presión con los codos hacia el exterior** mientras intenta contrarrestar esta fuerza con las piernas. No olvide de contraer el periné al mismo tiempo. La respiración en este ejercicio es libre. Nunca debe realizar el ejercicio aguantando la respiración.

PELOTA

El objetivo del siguiente ejercicio es, una vez más, fortalecer los músculos adductores (parte interna de los muslos) y el periné. En posición tumbada y con las piernas flexionadas debe aguantarse una pelota u objeto redondo y pequeño entre las rodillas y hacer fuerza hacia el interior.

Contraiga los adductores y el periné manteniendo la presión durante breves segundos. No haga fuerza con el vientre. Respire libremente.

CUIDAR LA POSTURA

Los cambios de la estática corporal de la gestante debidos al crecimiento del feto pueden provocar un desequilibrio de la columna que se ve acentuado por la debilidad de los músculos abdominales, pectorales y perineales, provocando molestias en dichas zonas. Para mantener un correcto equilibrio de la columna es necesario, no sólo realizar ejercicios que fortalecen dichas zonas, sino mantener posturas correctas de protección a lo largo de todo el día. Es esencial que la gestante comprenda cuál es la correcta alineación corporal para adecuar la postura en todo momento.

POSTURA CORRECTA

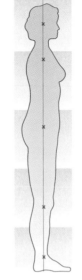

El esquema muestra una **correcta alineación corporal** permitiendo que el eje de gravedad recaiga en el centro de la base de sustentación.

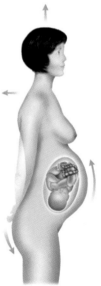

Cabeza
Para mantener una buena postura enderece el cuello, metiendo la barbilla hacia dentro, de manera que el cuello quede recto.

Hombros y tórax
Mantenga los hombros hacia atrás, saque el pecho y notará que la zona dorsal se estira.

Abdomen y nalgas
Apriete ligeramente los músculos abdominales a la vez que contrae los glúteos (nalgas) y los músculos del suelo pélvico, haciendo bascular la pelvis.

Estática corporal correcta de la gestante: hombros hacia atrás, vientre, nalgas y periné ligeramente apretados, cabeza hacia arriba y barbilla ligeramente hacia abajo y atrás.

POSTURA INCORRECTA

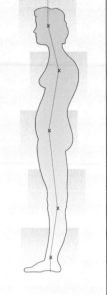

El desplazamiento de los diferentes segmentos corporales por **desequilibrio vertebral** conduce a una mala postura, causante de múltiples molestias corporales.

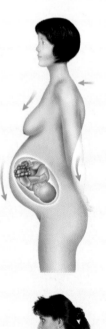

Cabeza
Si deja caer el cuello y permite que la barbilla sobresalga hacia adelante, se le desequilibrará la zona de las vértebras cervicales.

Hombros y tórax
Si deja caer el pecho y el tórax, dificulta la respiración y se produce un desequilibrio.

Abdomen y nalgas
Si afloja el vientre, la pelvis se inclina hacia adelante causando molestias en la parte baja del vientre y, especialmente, en la espalda.

Una **mala postura** puede sobrecargar la zona del bajo vientre, la columna vertebral y el periné.

22

LA AYUDA DE LA PAREJA

La pareja puede ser de gran ayuda colaborando en muchos ejercicios. A continuación se detallan dos en los que su presencia es importante. Adoptar una buena postura es esencial para el bienestar físico de la embarazada y para corregir posibles alteraciones de la zona lumbar. Si practica con su mujer y asiste a alguna sesión preparatoria, la pareja conocerá también las técnicas de los ejercicios y será de gran ayuda para que la embarazada sepa cómo espirar al contraer, inspirar al relajar y corregir los errores de su mujer. El primer ejercicio es, de nuevo, de basculación pélvica y el otro puede ayudar a la pareja a tomar conciencia, estando de pie, de su musculatura.

Sitúese detrás de la mujer y, con una mano en la parte baja del vientre y la otra en la espalda, ayúdele a meter el vientre hacia adentro y a enderezar la espalda. **Balancee la pelvis de la mujer** hacia adelante y hacia atrás mientras ésta mantiene la espalda recta.

Sujete entre sus brazos a la embarazada que se dejará caer con las piernas ligeramente flexionadas para **tomar conciencia de todos sus músculos**.

BASCULACIÓN PÉLVICA DE PIE

1 Sitúese de pie, con la espalda tocando la pared y los pies juntos contra ella. Mire al frente, de manera que la zona lumbar quede **separada de la pared**.

En este ejercicio de basculación de la pelvis es importante sincronizar bien la respiración. Cada vez que se comprima la musculatura abdominal hacia adentro y se aprieten las nalgas, hay que expulsar el aire por la boca. Una vez expulsado el aire, deben relajarse los músculos y, mientras se bascula suavemente la pelvis hacia adelante, dejar que los pulmones se llenen de aire respirando por la nariz. Esta práctica constituye un buen método para tonificar los músculos abdominales y prepararlos para el trabajo de parto.

2 Separe los pies de la pared, flexione ligeramente las rodillas y bascule la pelvis hacia atrás para que la espalda quede **pegada a la pared**.

RELAJACIÓN DEL CUELLO Y LA ESPALDA

El presente ejercicio tiene como objetivo relajar la tensión acumulada en el cuello, las vértebras cervicales, la parte superior de los hombros y la espalda. El ejercicio se efectúa sentada con la espalda erguida, las piernas abiertas y los talones juntos, Como en todos los ejercicios, es muy importante mantener la espalda en la postura correcta para conseguir el objetivo deseado.

1 Siéntese con las piernas abiertas y los talones juntos. **Inspire y levante la cabeza** para mirar al techo manteniendo la **espalda recta**.

2 **Espire mientras baja la cabeza, arquee la espalda** y alargue la espina dorsal. Al mismo tiempo, **contraiga el vientre**. Repita el ejercico de 5 a 10 veces.

LEVANTARSE
Y AGACHARSE

En el tercer trimestre del embarazo, cuando el vientre es más prominente, conviene poner un especial cuidado al realizar cualquier movimiento. Actividades tan sencillas y habituales como agacharse, tumbarse o levantarse pueden causar molestias si no se realizan de forma adecuada, y provocar sobrecargas en la columna vertebral y la zona del bajo vientre. La protección de la columna es muy importante a lo largo de todo el embarazo y requiere una atención especial a medida que éste avanza. Los ejercicios de gimnasia prenatal contribuyen a conservar la perfecta forma física de la gestante y preservar la salud de su espalda. Sin embargo, por sí solos no bastan: durante todo el día hay que tomar medidas de precaución, recordando poner en práctica los movimientos correctos aprendidos con la ayuda de la gimnasia. Realizar adecuadamente los movimientos cotidianos es el mejor medio para que el embarazo no tenga repercusiones en el bienestar de la madre.

1 Échese boca arriba. El esfuerzo para levantarse debe realizarse con los brazos, de forma que se **aligere la carga de los abdominales y la zona lumbar**.

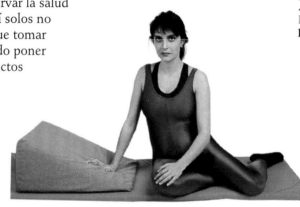

2 Gire el cuerpo hacia uno de los lados, **apoyándose sobre las manos**.

3 **Incorpórese haciendo fuerza con los brazos**. Realice estos movimientos tanto al hacer los ejercicios como al levantarse de la cama.

FLEXIONAR LAS PIERNAS

Apoyada en el respaldo de una silla, **agáchese y levántese flexionando las piernas**. Mantenga la espalda bien recta.

En cuclillas, haga el ejercicio de dejar y recoger un objeto del suelo, **estirando los brazos entre las piernas**. Puede aprovechar esta postura para realizar ejercicios de contracción perineal.

El gesto de agacharse, realizado de forma inadecuada, supone una carga para la zona lumbar y puede ocasionar malestar en la espalda. Para evitar trastornos es recomendable realizar el **movimiento en cuclillas**, flexionando las piernas, y evitando siempre doblar el tronco. De este modo, son las piernas las que trabajan y no se fuerza el área lumbar, frecuente foco de molestias para la embarazada. Realizar ejercicios en posición de cuclillas apoyada en la pared, una barra o una silla ayuda a acostumbrarse a la postura correcta que se utilizará día a día. Por otro lado, acostumbrarse a agacharse correctamente favorece la coordinación corporal y fortalece las piernas.

EJERCICIOS PECTORALES Y DE BRAZOS

Para mantener alineada la columna, es importante conseguir un equilibrio entre la musculatura anterior y posterior del cuerpo. El aumento de peso del pecho en la mujer gestante hace que los músculos pectorales se vayan acortando y que los dorsales se alarguen, con el consiguiente desequilibrio. Por ello, los ejercicios pectorales, dorsales y de brazos no deben faltar en el programa de entrenamiento prenatal. Los beneficios que estos ejercicios tienen para la mujer durante el embarazo se prolongan al post-parto, cuando el volumen del pecho sigue siendo considerable y hay que sostener con frecuencia al bebé en brazos: el peso va sobrecargando toda la musculatura dorsal y pectoral. Los ejercicios que se detallan a continuación ayudan a reforzar y reequilibrar esas zonas. Todos pueden realizarse indistintamente de rodillas, sentada en el suelo o en una silla; el efecto es el mismo.

2 Con la cabeza erguida, sin levantar la barbilla y mirando al frente, junte sus manos detrás de la espalda. Inicie un movimiento de rotación de hombros hacia atrás y hacia abajo. Mantenga esta posición unos segundos, con la respiración libre, notando cómo se estiran los músculos pectorales y se constriñen los dorsales.

1 Ejercicio dorsal-pectoral. Coloque las manos en la nuca y, con la ayuda de su pareja, lleve los codos hacia atrás manteniendo la espalda recta. Aguante esta posición ligeramente forzada durante unos segundos. Repita 10 veces.

3 Con hombros y codos a la misma altura, deslice las manos hacia los codos. Trabajo pectoral con respiración libre. Efectúe 10 repeticiones. La posición de las piernas es indiferente.

EJERCICIOS CON PESAS PARA REFORZAR LOS BRAZOS

Los ejercicios con pesas ayudan a reforzar la musculatura de los brazos e, indirectamente, repercuten beneficiosamente en la salud de la espalda. El brazo se acostumbra a sostener el peso, aligerando así el esfuerzo y la sobrecarga dorsal.

Es esencial mantener una alineación correcta de la columna vertebral a lo largo del entrenamiento con pesas. De lo contrario, los ejercicios no proporcionarán los beneficios deseados.

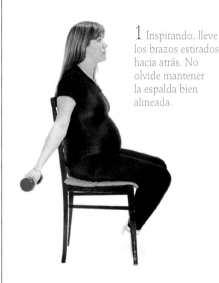

1 Inspirando, lleve los brazos estirados hacia atrás. No olvide mantener la espalda bien alineada.

2 Doble los brazos acercando las manos hasta el pecho. Espire mientras realiza el movimiento. Repita el ejercicio 10 veces.

3 Sentada, coloque los brazos en cruz, con las manos a la altura de los hombros. Doble a la altura del codo hacia arriba y vuelva a estirar. Respire libremente.

ENTRENAMIENTO PARA APRENDER A EMPUJAR DURANTE EL PARTO

La colaboración de la madre a lo largo de todo el proceso del parto es muy importante; sin embargo, es diferente en las diversas fases del mismo. Durante el proceso de dilatación, y hasta que se consigue borrar el cuello del útero, la mujer debe adoptar una actitud pasiva, dejar que la naturaleza siga su curso y esperar, lo más relajada y tranquilamente que pueda, que llegue el momento de la expulsión.
En esta etapa, debe concentrarse en su relajación y respiración.
Cuando finalmente llega el período denominado de la expulsión, es decir, de la salida del feto al exterior, el papel de la parturienta cambia. La madre debe sumar su fuerza a la que hace el músculo uterino al contraerse para que ésta sea más efectiva. El descenso del niño por el canal del parto es quizás el camino más corto y peligroso al que el ser humano debe enfrentarse. Procurar que sea seguro, rápido y suave a la vez es la ayuda que toda madre debe ofrecer a su hijo ante el nuevo camino de la vida. Por ello, el aprendizaje para empujar no es sólo uno de los más importante, sino el fundamental, del entrenamiento para el parto.

Cuando se acerca el momento del parto, la intimidad de la madre con su futuro hijo se hace más estrecha.
La colaboración entre ambos será imprescindible cuando llegue el momento del nacimiento.

1 Para entrenar el pujo, sitúese boca arriba y con las piernas flexionadas hacia su cuerpo. Cójase las rodillas con las manos para poder hacer fuerza con mayor facilidad. **Nunca entrene el pujo en casa**, este movimiento debe ser dirigido directamente por la comadrona.

El pujo

El pujo es el esfuerzo voluntario que realiza la madre durante la fase expulsiva del parto, mientras el feto desciende por el canal del parto. El pujo, para que sea efectivo, debe sincronizarse con las contracciones uterinas. Cuando llega el momento, la madre, de manera casi inconsciente, siente la necesidad de empujar. Si ha entrenado correctamente, el pujo le saldrá casi de forma espontánea.

2 Eleve la cabeza para contraer los abdominales y haga fuerza como si quisiera empujar. En algunos centros maternales se practica el pujo en camilla o mesa de partos bajo la coordinación de la monitora.

EJERCICIO DE PUJOS CON LA PAREJA

El entrenamiento de los pujos también puede hacerse con la pareja. Conviene asegurarse, antes de practicar el movimiento de empuje, de que la mujer tiene la vejiga vacía, de lo contrario, la embarazada pierde fuerza para el pujo. Para practicar los pujos con la pareja, la embarazada debe colocarse echada en la cama o en el suelo con almohadas detrás de la espalda y con las rodillas separadas. Es de gran utilidad que la pareja practique con la mujer el tipo de respiración que requiere el ejercicio del pujo para que en el momento del parto la pueda ayudar. Aunque los pujos, tal como se muestra en las figuras siguientes, pueden ensayarse con ayuda de la pareja, **no es recomendable que se practiquen en casa sin la supervisión de la comadrona**, puesto que un mal entrenamiento de los mismos podría dificultar la expulsión.

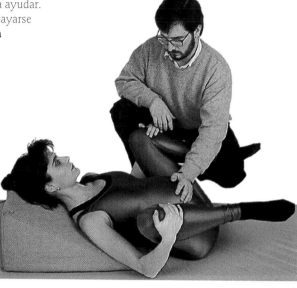

1 Coloque la mano sobre la parte inferior del abdomen de la mujer, **Indíquele que inspire y haga fuerza hacia su mano**.

2 A continuación indique a la mujer que se incline hacia delante y presione desde dentro con lentitud y suavidad, pero prolongadamente, mientras usted, con su mano, le proporciona algo contra lo que hacer fuerza en el bajo vientre. Vaya señalando a la mujer cómo debe respirar; **inspirando antes de hacer presión y aguantando el aire mientras se hace fuerza**. Indíquele que, cuando no pueda resistir más, espire sin dejar de apretar.

Recomendaciones para entrenar los pujos y respirar correctamente durante el parto

• *Imagine que se encuentra ya en el momento del parto, con contracciones rápidas y fuertes, e intente representarlo.*

• *Recuerde que el impulso de pujar aparecerá cuando se produzca la contracción. Por ello, siempre que ensaye los pujos debe imaginarse una contracción. En el momento del parto deberá controlar el deseo de apretar soplando, hasta que le indiquen cuándo puede pujar. La pareja le dirá: «cuando notes una contracción, toma aire, aguántalo guardándolo en los pulmones, apoyate bien en mi y empuja».*

• *No olvide la posición correcta: barbilla hacia el pecho, hombros relajados y hacia abajo y mantenimiento de la presión abdominal sobre el feto.*

• *Controle la respiración y aprenderá a pujar correctamente, aunque su cuerpo esté recibiendo estímulos fuertes. Acostada, con los muslos flexionados sobre el abdomen, cójase las rodillas, flexiónelas al máximo y separelas. Efectúe una inspiración abdominal profunda, cierre la boca y contraiga los músculos abdominales, al mismo tiempo, apriete la zona alta de los abdominales y relaje los músculos del periné. Para proporcionar más fuerza eleve ligeramente la cabeza y constriña los abdominales. Expulse el aire después de presionar.*

CONSEJOS PRÁCTICOS

Antes de ir al hospital, al igual que se prepara la maleta y lo indispensable para la estancia en el mismo, no hay que olvidar algunas recomendaciones referidas al cuerpo de la gestante, que facilitarán la valoración del estado de la embarazada al personal médico-sanitario. Por ejemplo, no deben llevarse las uñas pintadas, puesto que el color natural de las mismas es indicativo del estado corporal, ni, por el mismo motivo, maquillarse la cara. Asimismo, es recomendable, si usted sufre defectos de visión, que no se ponga lentillas, sino que use las gafas.

PRÁCTICA DE POSICIONES PARA EL PARTO

Existen distintas posiciones posibles a adoptar durante el parto, y en función del tipo de parto que se practique y del centro donde se vaya a desarrollar, la mujer podrá escoger aquella postura en la que se encuentre más cómoda. A lo largo de la historia y en diferentes civilizaciones, las mujeres han parido de rodillas, sentadas en el suelo, en cuclillas o tumbadas. Hay varias posturas para parir y es bueno que la mujer las conozca y, siempre que sea posible, adopte la que le sea más cómoda. Se pueden escoger distintas posiciones tanto sentada, como de pie, con las rodillas algo flexionadas, en cuclillas o tumbada con las piernas levantadas y flexionadas sobre el cuerpo. El objetivo de la postura debe ser crear el mayor espacio posible dentro de la pelvis. Para ello,a es necesario mantener

las rodillas bien separadas y permitir que el útero bascule hacia adelante. Respecto a otras posiciones, la postura en la que la parturienta está sentada supone una ventaja respecto a las demás y es que permite ver el nacimiento del niño.

No es recomendable parir totalmente tendida, puesto que entonces se empuja al niño hacia arriba, sin la ayuda de la gravedad, ya que el útero forma un ángulo casi recto con la vagina. Otra postura posible es de rodillas, apoyada sobre los pies y con el cuerpo inclinado hacia adelante sobre una almohada colocada encima de una silla o de la cama.

Sin embargo, pese a la gran variedad de posibilidades, en la mayoría de hospitales o clínicas se pare en la cama obstétrica, puesto que esta postura facilita la labor del ginecólogo.

POSTURAS DURANTE EL TRABAJO DE PARTO

Durante el primer estadio del parto, a menudo, la embarazada se siente mejor paseando o de pie. Esta postura permite que la gravedad facilite el descenso del feto. Si está de pie durante la dilatación, la embarazada puede colocarse con las piernas ligeramente flexionadas y el cuerpo inclinado hacia delante. Otras mujeres prefieren adoptar otras posturas que

permiten rebajar el dolor lumbar durante el período de dilatación, como la posición a gatas, apoyándose en las rodillas y las manos, en la que el feto tiende a descansar sobre el abdomen. También puede resultar aliviadora la postura de rodillas en el suelo, con el cuerpo inclinado hacia atrás y las manos apoyadas en el suelo, que permite dar espacio al feto dentro de la pelvis.

Embarazada de pie, cuerpo ligeramente inclinado hacia adelante, las piernas flexionadas, las manos apoyadas en los muslos, **concentrándose para aprender a relajarse** y **respirar correctamente** durante el trabajo de parto.

Embarazada en posición de cuclillas, apoyada sobre los talones, con la espalda recta y sujetándose a una silla. Esta posición aumenta el espacio dentro de la pelvis favoreciendo el descenso del feto.

El masaje en los riñones alivia el dolor de espalda, tanto durante el embarazo como en el momento del parto. Normalmente, suele resultar más agradable un masaje suave que una presión excesiva, aunque, a menudo, combinar friegas fuertes con caricias suaves produce más alivio. El masaje más adecuado debe presionar lentamente y de forma constante, moviendo los músculos sobre los huesos.

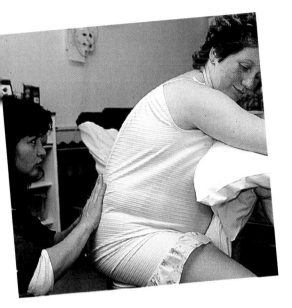

La presión encima y a ambos lados de la espalda puede aliviar mucho las molestias. Presione en la parte superior de las nalgas a cada lado de la columna y haga un **masaje circular** para relajar la columna.

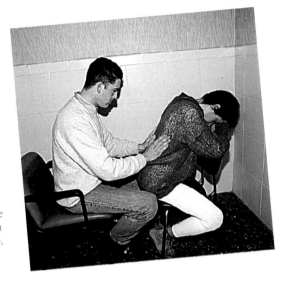

El masaje en los riñones debe hacerse con la parte baja de la palma de una mano y apoyando la otra mano sobre la primera, para ejercer, de ese modo, una **presión firme** en el lugar donde la pelvis se une con la columna.

RECUERDE

- *Durante la fase de dilatación adopte las posturas que le resulten más cómodas para aliviar el dolor y favorecer la relajación.*

- *La posición en cuclillas para el momento del expulsivo aumenta el ancho del arco subpúbico; esta posición tiene un poderoso efecto de ensanchamiento. Las esquimales, por ejemplo, dan a luz en esta posición.*

- *Las posturas en las que se separan las rodillas permiten el estiramiento del suelo pélvico y el ensanchamiento de sus estructuras.*

- *Tanto en la posición de pie con las piernas algo flexionadas y el cuerpo ligeramente inclinado hacia delante, como en la posición de cuclillas, es importante la ayuda de la fuerza de la gravedad. Ambas posiciones aumentan el espacio de salida del feto.*

- *A pesar de todo, los sistemas para controlar madre y feto dificultan, a menudo, que la madre pueda adoptar según qué posturas. En la mayoría de los centros, la fase del expulsivo transcurre en la cama obstétrica.*

ESQUEMA DEL FUNCIONAMIENTO DE LA MUSCULATURA ABDOMINAL DURANTE LOS PUJOS

El presente esquema muestra cómo funciona la musculatura abdominal durante los pujos. Como ya se ha explicado con anterioridad, el objeto de este movimiento es ayudar al músculo uterino en la salida del feto. También muestra la importancia del papel del abdomen en relación al diafragma. Para llevar a cabo un pujo, primero debe inspirarse, entonces la cavidad torácica se amplía gracias a la acción del diafragma que, interpuesto como un tabique entre la cavidad abdominal y el tórax, desciende y sirve de punto de apoyo para hacer presión al fondo del útero.

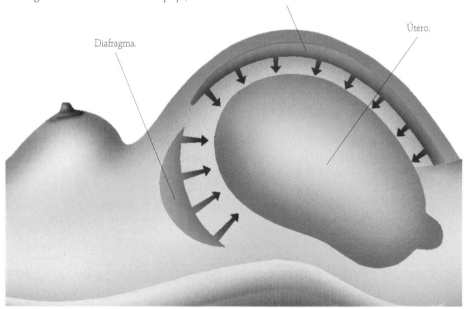

Diafragma.

Músculos abdominales.

Útero.

LA COMADRONA RESPONDE

Estoy embarazada de 4 meses, y a pesar de que, tal como me indican en los cursos de preparación a la maternidad, cuido mi cuerpo, me están saliendo muchos granos. ¿Es normal?

Los cambios hormonales del embarazo producen en algunas mujeres erupciones causadas por el aumento de secreción de grasas en el cuerpo. Este fenómeno se produce con más frecuencia en mujeres en cuya piel también suelen aparecer granos en cada ciclo unos días antes de la menstruación.

Estoy embarazada de 7 meses y hasta este momento me había sentido muy segura de poder afrontar el momento del parto sin ningún tipo de preparación especial, pero desde hace unos días, empiezo a experimentar sensación de inseguridad por la proximidad del acontecimiento. ¿Es demasiado tarde para asistir a un curso?

Aunque lo aconsejable es empezar los cursos al inicio del segundo trimestre del embarazo, estos dos últimos meses de asistencia pueden ser de gran ayuda para superar sus temores y sentirse realmente preparada para el parto. El hecho de que se encuentre en un estadio muy avanzado del embarazo no debe suponer un obstáculo para tomar una decisión tardía, pero acertada. El especialista del centro tendrá en cuenta su condición y adaptará el programa a sus necesidades específicas. Aplíquese tanto como pueda en los dos meses que le quedan para recuperar el tiempo perdido. Sin embargo, no fuerce los músculos en los ejercicios de preparación y tenga presente de empezar la gimnasia gradualmente tal como le indicará la comadrona que dirija el curso.

Mi vida, a causa básicamente del trabajo que desempeño, es muy sedentaria. Ahora que estoy embarazada de 4 meses desearía asistir a un curso de preparación maternal. ¿Podré seguir correctamente los ejercicios físicos a pesar de mi falta de entrenamiento?

La gimnasia de preparación al parto no es un entrenamiento para una competición; si usted no está acostumbrada a realizar ningún tipo de deporte, efectivamente, no es este el momento más adecuado para empezar a hacerlo.

La preparación física para gestantes es un aprendizaje de las técnicas concretas para aplicar durante el parto, sus resultados serán altamente beneficiosos para todas las mujeres, sea cual sea su condición física anterior. Precisamente, aquellas embarazadas que llevan una vida sedentaria y no están acostumbradas a hacer deporte son las que más necesitan entrenamiento físico para sentirse mejor con su cuerpo durante el embarazo y en el parto.

Estoy asistiendo a un curso de preparación a la maternidad y todas sus enseñanzas teóricas y prácticas me están siendo de gran ayuda para llevar felizmente mis meses de gestación. Mis dudas, ahora que ya estoy finalizando mi embarazo y se acerca el momento de la verdad, es que no sea capaz de aplicar todos estos conocimientos adecuadamente. ¿Qué debo hacer?

Es muy normal que experimente esta sensación, pero siempre debe recordar que durante el parto estará en todo momento acompañada por la comadrona y por su pareja, que le proporcionarán el apoyo necesario para mantenerse firme, relajada y segura de sí misma. Evite los pensamientos negativos sobre sus capacidades y ejercite en el momento del parto lo aprendido en los cursos. Si su pareja ha asistido a los cursos, déjele que le vaya recordando lo que debe hacer. Seguro que así afrontará el parto sin dificultad.

Todas las mujeres de mi familia son propensas a padecer molestias circulatorias y varices. En mi caso, hasta quedarme embarazada no he tenido este tipo de problemas, pero temo que aparezcan a partir de ahora. ¿Puedo tomar algunas precauciones especiales?

Aunque el programa de ejercicios circulatorios está específicamente pensado para evitar este tipo de molestias, en su caso es aconsejable doblar las precauciones. Aplíquese al máximo en estos ejercicios durante las clases y repítalos en su casa por la mañana y por la noche. Siempre que pueda mantenga las piernas en alto.

RECUERDE

• La gimnasia de los cursos de preparación maternal tiene dos objetivos: el mantenimiento de la salud física de la embarazada y el entrenamiento de la musculatura que interviene en el momento del parto.

• El ejercicio físico que debe realizar una embarazada acostumbrada a una vida sedentaria no es el mismo que el que puede hacer una embarazada deportista.

• Es importantísimo ser constante haciendo los ejercicios de gimnasia cada día.

• Los ejercicios para activar la circulación de retorno de las extremidades inferiores son muy buenos para evitar molestias e hinchazones en las piernas.

• Aprender a adoptar una postura correcta que no dañe la columna vertebral cuando la gravidez desequilibra el cuerpo es otro objetivo de los cursos de preparación.

• La musculatura del suelo pélvico, clave durante el parto, es la más que más debe cuidar y trabajar la embarazada.

• Uno de los ejercicios más importantes, especialmente clave para la recuperación durante el puerperio, es la contracción y distensión voluntaria del periné.

• Según las características individuales de cada mujer, la preparadora realizará ejercicios personalizados para insistir en aquellos aspectos que sean más indicados en cada caso.

• La pareja puede colaborar a la preparación física de su mujer compartiendo ejercicios con ella y también puede aliviar el dolor de espalda con masajes en los riñones.

• Para preparar la fase del expulsivo, la mujer debe ensayar los pujos en los cursos. Nunca debe hacerse este entrenamiento sin la dirección de la comadrona.

• Es importante, cuando se hagan ejercicios de gimnasia preparatoria sincronizar adecuadamente la respiración.

RELAJACIÓN Y RESPIRACIÓN

La tranquilidad, la serenidad y la armonía son disposiciones del ser humano fácilmente alcanzables con la práctica de técnicas de relajación. Gozar del parto y vivirlo con satisfacción, sabiendo cómo controlar la respiración durante el mismo, repercutirá positivamente tanto en la madre como en el desarrollo de su futuro hijo.

RELAJACIÓN Y RESPIRACIÓN

Existen diferentes técnicas de relajación y respiración para preparar a la mujer para afrontar las sensaciones relacionadas con el proceso del parto. La mujer se siente mucho mejor si sabe conservar la energía y mantenerse tranquila. Si sabe cómo relajar los músculos que puede controlar voluntariamente, la musculatura uterina (que actúa de forma refleja durante el parto) trabajará sin interferencias. Conocer cómo respirar con sosiego y mantener el cuerpo relajado en los momentos de tensión proporciona a la mujer seguridad en sí misma para afrontar las contracciones. Como cualquier técnica, la relajación y la respiración requieren práctica. Cuanto más se entrenen, mayor posibilidad hay de que se conviertan en una reacción natural en el momento esperado. Aprender a relajarse es útil, además, no sólo en el momento del parto, sino también en muchas otras circunstancias de la vida.

POR QUÉ ES ÚTIL LA RELAJACIÓN

Existen tres razones básicas para hacer relajación como medio para preparar el parto y vivir mejor el embarazo. En primer lugar porque, en el momento del parto, el **dominio del propio cuerpo es esencial** y la relajación es una técnica de autodominio que refuerza la seguridad en uno mismo. En segundo porque, cuando la mujer va a dar a luz, conviene que la tensión nerviosa no se altere **para no hacer esfuerzos innecesarios**, que pueden caysar fatiga, y debe mantener en reposo todo músculo que no sea necesario. Y la última razón, porque, por medio de la relajación, a la vez que se evitan esfuerzos innecesarios, se logra una máxima recuperación en un mínimo tiempo.

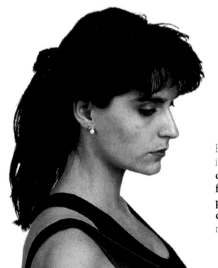

Estar relajado implica poder **controlar la fuerza de cada parte de nuestro cuerpo** y nuestras reacciones.

Debido a las características físicas de la embarazada, hay que adaptar las posturas idóneas para relajarse. Por ello, **tumbarse lateralmente** es aconsejable, ya que, además, **facilita un adecuado intercambio sanguíneo** entre madre e hijo.

CONSEJOS PRÁCTICOS

Requisitos para conseguir relajarse

Si nunca se ha practicado ninguna forma de relajación, hay que empezar por colocarse en una postura cómoda y con los mínimos estímulos externos posibles. Cualquier persona puede aprender a relajarse, sólo es cuestión de entrenamiento. Después de unas cuantas sesiones con el ambiente libre de estímulos externos, la embarazada debe practicar en situaciones ambientales en las que éstos no se hayan atenuado, ya que lo importante durante el parto será saber relajarse en cualquier medio (cuando la embarazada se encuentra en la sala de partos de un hospital, recibe tanto estímulos internos como externos muy fuertes).

Si bien la postura puede variar en función del método de relajación que se emplee, existe una serie de posturas típicas como la **postura hindú** (con las piernas cruzadas y los brazos apoyados en las rodillas). Lo importante en la embarazada es respetar la alineación de su columna y no adoptar posturas que puedan ser perjudiciales para el feto. Aunque al empezar el entrenamiento es recomendable que se haga en una habitación con poca luz, sin estímulos externos como luces, ruidos..., conforme éste avanza, no son necesarias medidas especiales en el entorno. La relajación se puede practicar en solitario o en grupo, y puede ser **dirigida por una tercera persona** o bien **autodirigida**. Algunas embarazadas prefieren practicar en casa con la ayuda de una cinta grabada por una persona especializada. Siempre es aconsejable que los primeros ensayos se realicen con alguien que pueda valorar el nivel de relajación conseguido y lo que hay que ir mejorando.

Mujer relajada con las **piernas cruzadas y con apoyo en la espalda** que le permite una alineación correcta de la espalda , sin realizar ningún esfuerzo.

Mujer relajada en **postura hindú**, con las piernas cruzadas y sin apoyo en la espalda, esta postura requiere para su práctica un entrenamiento previo puesto que no todo el mundo la encuentra cómoda.

Mujer relajada echada **sobre su lado izquierdo** con apoyo bajo la rodila que permite no comprimir al feto.

Mujer relajada **tumbada boca arriba**. Esta postura resulta muy cómoda por el apoyo en la cabeza y bajo las rodillas y es especialmente indicada en mujeres que sufren problemas de acidez.

La relajación en decúbito supino

Si la relajación se realiza **tumbada boca arriba** sin ningún tipo de apoyo, en la mayoría de las gestantes no se respeta una correcta alineación de la columna vertebral. Si la mujer está con las piernas totalmente estiradas, la zona lumbar queda excesivamente arqueada. Además, si no se tiene la cabeza algo elevada, la mujer que sea propensa a ello puede padecer acidez. Para mantener la columna vertebral en la posición correcta es necesario **utilizar apoyos para las piernas** y, en algunos casos, otro pequeño cojín bajo las nalgas para lograr la posición adecuada de la pelvis. El apoyo en la cabeza es optativo y su uso dependerá de lo que sea más cómodo a la gestante.

La relajación sentada

Sentarse para relajarse es también cómodo sobre todo en un estado avanzado de la gestación, cuando el vientre es prominente, ya que **proporciona espacio al feto**, sin necesidad de adoptar una postura incómoda para la madre. El tono muscular que se consigue relajándose en la silla no es tan bajo como el de cuando la mujer está tumbada. Sin embargo, lograr el tono adecuado para mantenerse de forma estable en la silla proporciona un beneficio adicional, puesto que potencia la capacidad de control del cuerpo. El método sofrológico de relajación dinámica, desarrollada por Alfonso Caycedo, a la que se hará referencia más adelante, proporciona una situación paradójica: la mujer puede estar alerta y relajada a la vez. **La relajación dentro de la tensión**, la tranquilidad y armonía en una alerta perfecta facilita la sincronización de la respiración con las contracciones en el momento del parto.

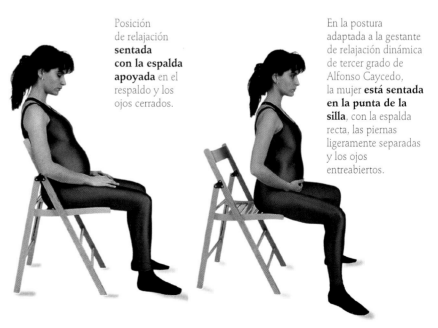

Posición de relajación **sentada con la espalda apoyada** en el respaldo y los ojos cerrados.

En la postura adaptada a la gestante de relajación dinámica de tercer grado de Alfonso Caycedo, la mujer **está sentada en la punta de la silla**, con la espalda recta, las piernas ligeramente separadas y los ojos entreabiertos.

EL ENTRENAMIENTO DE LA RESPIRACIÓN

La mecánica respiratoria tiene lugar gracias a músculos como el diafragma y los abdominales. Cuando se inspira, el músculo que más trabaja es el diafragma, mientras que durante la espiración son muy importantes los músculos de la pared abdominal. Éstos se contraen con mucha energía cuando se realizan algunas actividades como toser, defecar, vomitar, o en la fase expulsiva del parto que actúan a modo de prensa . Por ello, es muy importante que la embarazada aprenda cuáles son sus posibilidades respiratorias y cómo las debe aplicar durante el trabajo de parto. Una respiración correcta y bien sincronizada con los movimientos también es fundamental para realizar de forma efectiva la gimnasia de preparación.
La respiración más eficaz para el momento del parto puede ensayarse durante el entrenamiento de la relajación.

Aprender a **controlar las propias respiraciones**, a inspirar o espirar en el momento adecuado, es muy importante durante el parto. Sólo un entrenamiento previo puede ayudar a la parturienta cuando llegue el momento.

• *La respiración torácica:*
Recibe este nombre aquella respiración que deposita el aire inspirado en la parte superior del tórax. Cuando se realiza este tipo de respiración, al coger aire el pecho sube y al espirar el pecho baja.

• *La respiración abdominal:*
Se llama así aquella respiración en la que el aire inspirado ensancha el abdomen. Cuando se realiza este tipo de respiración, al inspirar el vientre se hincha y al espirar el vientre baja.

• *La respiración superficial:*
Se llama respiración superficial a aquella en la que se coge y se saca aire de forma rápida, moviendo prácticamente sólo la parte alta del pecho.

LOS DISTINTOS TIPOS DE RESPIRACIÓN

Más allá de la función vital de captar oxígeno y eliminar monóxido de carbono, la respiración tiene otras funciones como la regulación de la temperatura corporal o la eliminación de toxinas. Asimismo, según la forma de respirar, las personas dejan entrever también su estado de ánimo. Ante un estado de ansiedad, la inspiración se vuelve más profunda, pero hay dificultad en la espiración. Cuando se siente alivio, se suspira: es decir, se produce una inspiración corta y una espiración larga. En estados de agresividad o ansiedad se responde intensificando la inspiración. Si se está en calma o en reposo, se respira con una espiración prolongada. Por la sensación de calma y tranquilidad que infunde la espiración o salida de aire prolongada, los cursos de preparación enseñan a las embarazadas respiraciones abdominales y torácicas de espiración prolongada para el trabajo de parto. Otro tipo de respiración útil para el parto es la respiración superficial. En los cursos de preparación al parto se enseñan los tres tipos de respiración. En primer lugar, se muestr, mediante sencillos ejercicios prácticos, cómo dominar el aire y, a continuación, se ensaya el ritmo adecuado para respirar correctamente cuando se tienen contracciones. Dado que, cuando se ensaya no se nota la contracción, la preparadora debe marcar el ritmo.

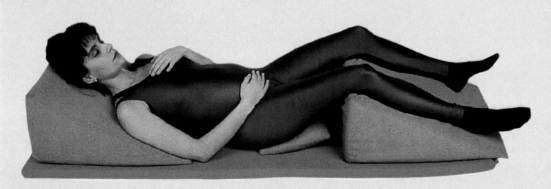

Para practicar las respiraciones abdominal y torácica es bueno **tumbarse boca arriba con una mano en el pecho y otra en el vientre**, para ser consciente en todo momento de dónde se produce el movimiento de aire.

LA RESPIRACIÓN ABDOMINAL Y TORÁCICA

El patrón de respiración abdominal o torácica útil durante el parto se basa en alargar al máximo la salida del aire, que por su efecto sedante y tranquilizador, calmará a la parturienta. Como contrapartida este tipo de respiración requiere inspiraciones más cortas. La respiración abdominal a utilizar durante el parto sólo se distingue de la torácica en que es el abdomen, y en la otra el tórax, el que realizará el movimiento de inspiración y espiración.

En la respiración abdominal, cuando se inspira, sube el vientre, mientras que cuando se espira, baja. Mientras se practica es aconsejable concentrarse en el recorrido del aire.

Esquema de respiración torácica y abdominal durante el parto

El esquema muestra cómo deben ser las respiraciones torácicas durante el parto. La línea roja dibuja la contracción, y la negra el ritmo de la respiración. Cada pico señala una inspiración (I) y una espiración (E). Antes y después de la contracción, la respiración (1) debe tener un ritmo estándar, igual para la inspiración que para la espiración. Durante la contracción (2) la mujer debe hacer espiraciones largas bajando el pecho e inspirar cuando no pueda más subiendo el pecho.

RESPIRACIÓN SUPERFICIAL

La respiración superficial sigue el ritmo de las contracciones, con inspiraciones y espiraciones cortas de la misma duración. Como su nombre indica, el ritmo de respiración no permite que el aire llegue al fondo del tórax o del abdomen. Esta modalidad puede realizarse cogiendo el aire por la nariz o por la boca.

Esquema de respiración superficial durante el parto

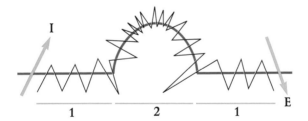

Con la mano en la parte alta del pecho se localiza los movimientos respiratorios superficiales y rápidos.

Para entrenar la respiración superficial, dado que no se tienen contracciones, hay que seguir un ritmo imaginario rápido.

RECUERDE

• La respiración abdominal o torácica, con espiraciones prolongadas, es la más recomendable durante el parto.

• La respiración superficial debe practicarse si se lo indica la comadrona en el momento del parto.

• Para que los distintos patrones de respiración puedan aplicarse correctamente en el momento del parto deben entrenarse a menudo, no es suficiente con saberlos.

• Cualquier postura es buena para entrenar las respiraciones. Realizarlas cuando se está practicando una técnica de relajación permite ensayarlas más correctamente y, a su vez, que éstas potencien la relajación.

LA SOFROLOGÍA

La escuela sofrológica fue fundada por el psiquiatra Alfonso Caycedo en 1960 que propuso el nombre de sofrología para una nueva ciencia que se ocupa del estudio de la conciencia humana y que aporta a la medicina de nuestro tiempo unos métodos de entrenamiento de la personalidad con fines formativos, preventivos y terapéuticos. La sofrología pretende llevar a cabo una educación sanitaria de manera que el propio paciente asuma el cómo y el porqué de su trastorno, dolor o enfermedad y pueda motivarse para participar en su propio proceso de curación. Las técnicas y métodos de entrenamiento sofrológico adaptadas a la gestante son básicamente las siguientes: la sofronización simple o básica; la sofroaceptación progresiva y la relajacion dinámica.

La sofronización simple tumbada es la técnica más frecuentemente empleada en los cursos de preparación maternal.

LA SOFRONIZACIÓN SIMPLE O BÁSICA

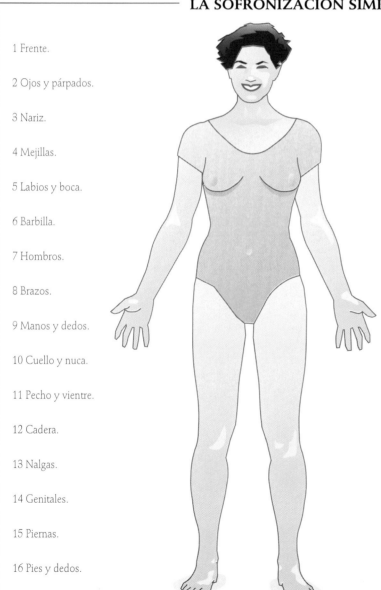

1 Frente.

2 Ojos y párpados.

3 Nariz.

4 Mejillas.

5 Labios y boca.

6 Barbilla.

7 Hombros.

8 Brazos.

9 Manos y dedos.

10 Cuello y nuca.

11 Pecho y vientre.

12 Cadera.

13 Nalgas.

14 Genitales.

15 Piernas.

16 Pies y dedos.

La sofronización simple o básica constituye la práctica más elemental del entrenamiento sofrológico. Pretende **alcanzar un nivel de conciencia al borde del sueño**, a través del proceso de sofronización. El proceso puede estar dirigido por una tercera persona que hable de modo placentero o suave, o por uno mismo. No es necesario ningún ambiente especial para la práctica, ya que éste podría convertirse en un condicionante, y en el caso de faltar, dificultaría la posibilidad para relajarse.

1 Para practicar la sofronización simple, **adopte una posición cómoda**, cierre los ojos (no es imprescindible, pero favorece la concentración) y **fije la atención en las diferentes partes de su cuerpo**, sintiendo su forma. Siga el orden marcado en el esquema adjunto. Tome conciencia, no sólo de la distensión progresiva de las distintas partes de su cuerpo, sino de las diferentes sensaciones que los cambios en la tensión de su musculatura le hacen percibir. Examine minuciosamente sus sensaciones mientras se concentra en cada recóndito lugar de su cuerpo. De esta manera facilitará la concentración y eliminará otros pensamientos o imágenes.

2 Una vez alcanzada la relajación muscular, y mientras el cuerpo sigue distendiéndose, **intente poner en reposo el sistema nervioso**, déjese llevar suavemente hasta el fondo de sí misma, ayudándose de la respiración. Cuando se encuentre en el umbral del sueño, siéntase adormecer plácida y tranquilamente, sea conciente de la calma interior. Pasado un rato, para volver al nivel de conciencia-vigilia del que partió, haga varias respiraciones profundas, suba el tono muscular con movimientos y estiramientos y, finalmente, abra los ojos, aprecie todo lo que rodea y dése cuenta de dónde y en qué momento está.

ENTRENAMIENTO SOFROLÓGICO ADAPTADO A LA GESTANTE

Cualquier persona que haya aprendido una técnica o método sofrológico y que sea constante en su práctica observará tres efectos altamente positivos. En primer lugar, la disminución de la tensión a través de las sensaciones de tranquilidad, quietud y paz que el proceso de sofronización le facilita, que comportará el descenso de ansiedad o angustia.
En segundo lugar, un incremento de su voluntad y una mejoría de la atención, concentración y memorización. Y, finalmente, un aumento de la autoestima, seguridad y control emocional, que repercutirá positivamente en el refuerzo de su personalidad.
En el caso de la gestante, estos tres efectos positivos, junto a la preparación física y a las charlas informativas, serán de gran ayuda para afrontar, con el mayor equilibrio psíquico-físico posible, el nacimiento y posterior crecimiento de su hijo. En esta página se muestra el proceso de la llamada **técnica de sofroaceptación progresiva**, muy útil para la embarazada. En ella, la mujer, se **imagina situaciones futuras** relacionadas con su hijo, **mientras está percibiendo sensaciones presentes de seguridad** y **tranquilidad**.

El hecho de **imaginar el feto que está creciendo en su vientre** potenciará la relación madre-hijo aún antes del nacimiento

Durante la relajación, en el nivel límite entre el sueño y la vigilia que representa la relajación, la gestante debe **intentar imaginar un objeto natural** moviliza su capacidad de concentración.

Esta sofroaceptación progresiva consiste en **imaginar el proceso del parto**, la forma en que se actuará durante el mismo y la alegría que causará tener al recién nacido en brazos.

Otra técnica sofrológica es la **activación intrasofrónica**, que consiste en **practicar las respiraciones o la gimnasia dentro de la relajación**. Ello mejora el resultado de los ejercicios ya que se activa la percepción y la toma de conciencia de loslos movimientos y se puede perfeccionar mejor su ejecución.

Que la gestante **imagine a su hijo cuando ya ha nacido** (en buen estado de salud) y a ella feliz y contenta (pasado el parto) influye en la disminución de la ansiedad y angustia que algunas mujeres tienen al trabajo de parto y al bienestar del recién nacido.

LA RELAJACIÓN DINÁMICA

La relajación dinámica se realiza de pie, sentada con la espalda apoyada en el respaldo de la silla, o en el filo de la misma. Estas tres posturas corresponden a tres grados de relajación. A través de la relajación dinámica, la embarazada aprende a controlar su tono físico, que influirá favorablemente en el tono mental, y consigue un mayor equilibrio entre ambos. Asimismo, esta técnica favorece la aceptación de los cambios de su esquema corporal y le ayuda a utilizar su respiración para lograr un mejor control de sus sensaciones. A través de la sofroaceptación progresiva, durante la relajación dinámica se proyectan hacia el futuro pensamientos, imágenes y situaciones que guardan relación con la realidad de la maternidad, mientras se están percibiendo sensaciones presentes de seguridad.

EJERCICIOS DE RELAJACIÓN DINÁMICA

Ejercicio de cuello y nuca

En las siguientes imágenes aparecen ejercicios practicados dentro de la relajación dinámica de Caycedo, seleccionados para mostrar cómo es un entrenamiento con esta técnica. En esta página se puede observar cómo se realiza un ejercicio de cuello y nuca. Se trata de realizar movimientos con la cabeza hacia adelante y atrás, hacia los lados y rotaciones hacia ambos lados. El ritmo del movimiento debe marcarlo la propia mujer, lo importante del ejercicio son las sensaciones que quedan en la zona del cuello y la nuca después del movimiento. Es lo que en sofrología se denomina sensación de recuperación.

2 Aunque el orden no es importante, a continuación **se vuelve la cabeza hacia adelante** o se realiza una rotación de la misma.

1 Se puede empezar **moviendo la cabeza hacia atrás** y apreciar cuál es la sensación que transmite la nuca.

3 También hay que tumbar la cabeza hacia un lado y tomar conciencia de cómo se estiran los músculos del cuello.

4 Es importante **flexionar el cuello en todas las direcciones** e ir notando cuál es la posición de los músculos del cuello y la nuca.

Ejercicios de brazos

Los ejercicios de brazos consisten en activar intrasofrónicamente (es decir, dentro de la relajación) la toma de conciencia del desplazamiento, longitud, forma y tensión de los brazos. Se realizan sincronizando la respiración con el movimiento. Se trata de desplazar los brazos hacia adelante y luego tensarlos con fuerza. **Cuando se tensan los brazos, se es más conciente de la relajación del resto del cuerpo.**

Desplazar los brazos y tensarlos, ayuda a tomar conciencia de los mismos.

Tensar los brazos permite, cuando se está relajado, ser conciente de la distensión del resto del cuerpo.

Ejercicio de suelo pélvico

Si una vez conseguida la relajación del cuerpo se realiza el ejercicio de apretar y aflojar el periné, de forma sencilla se consigue que la mujer sea capaz de realizar el movimiento de estos músculos sin movilizar otras partes del cuerpo como abdomen y nalgas. Con ello, la mujer **conseguirá adquirir más conciencia de la forma de activar voluntariamente la musculatura de su suelo pélvico.**

Cuando la mujer se encuentra relajada es más capaz de realizar ejercicios sencillos de suelo pélvico sin activar otros músculos del cuerpo.

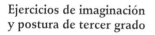

Ejercicios de imaginación y postura de tercer grado

La persona que dirige la relajación dinámica deberá hacer **imaginar distintos objetos o posturas.** Primero hará que las alumnas se concentren en un objeto neutro de la naturaleza percibiendo sensaciones agradables. Luego cambiará el objeto por el sujeto, es decir, la embarazada pasará a imaginarse a ella misma en otra postura, por ejemplo, en la de tercer grado (al borde de la silla). Después de imaginarla la adoptará. Se situará con la espalda recta, la cabeza estable entre los hombros, las piernas ligeramente separadas y los ojos entreabiertos. En esta postura se puede entrenar de manera muy efectiva las distintas respiraciones para el parto. Asimismo, permite también la sofronaceptación progresiva mencionada en la página anterior.

Antes de adoptar la postura de tercer grado, hay que visualizarla e imaginarla.

Finalizar la sesión

Para finalizar la sesión se puede adoptar de nuevo la postura apoyada en el respaldo, respirar con profundidad, estirarse, desperezarse y abrir los ojos, o bien, directamente desde la postura de tercer grado, movilizarse y abrir los ojos.

La postura de tercer grado de la relajación dinámica permite un **nivel de relajación a la vez que una alerta corporal** muy oportuna para imaginar el parto y para entrenar las respiraciones.

Al finalizar toda sesión de relajación deberá procederse a aumentar el tono muscular desperezándose.

LA RELAJACIÓN POR TACTO Y MASAJES

Además de las técnicas de relajación desarrolladas por la sofrología, existen otros métodos fáciles de realizar con la pareja, que también pueden ser útiles para aliviar la tensión durante el embarazo y en el momento del parto. Una de ellas es la relajación mediante masajes, con fricciones, frotaciones y caricias. Cualquier masaje facilita la circulación y aumenta la elasticidad de los tejidos en los que se aplique y, en este sentido, durante el embarazo, cuando la piel del cuerpo y los tejidos musculares están haciendo un esfuerzo superior al habitual, son muy recomendables los masajes. Por ejemplo, un masaje en la cabeza, las sienes o el cuello tiene un efecto relajante a la vez que alivia tensiones propias del embarazo y posibles temores. Para aplicar masajes sencillos no hace falta ser un gran experto, utilizando una o ambas manos y presionando con cualquier parte de ellas se puede ser efectivo. Dado que el tacto es una gran fuente de placer, por el hecho de que nuestra piel está cubierta de terminaciones nerviosas que al ser estimuladas producen sensaciones agradables, los masajes de la pareja relajarán a la mujer embarazada a la vez que enriquecerán la relación entre ambos.

MASAJE EN LAS SIENES

Durante el embarazo, y también en el momento del parto, es habitual que la mujer padezca cefaleas, a veces provocadas por tensión nerviosa o, en ocasiones, consecuencia de cambios hormonales. La pareja puede aliviar a la gestante realizando un masaje en las sienes. Debe **empezarse haciendo una presión muy fuerte y aflojando progresivamente**. El masaje puede aplicarse haciendo una rotación. Dado que en la cabeza confluyen la mayor parte de las tensiones, relajar la cara y el cráneo ayuda a relajar todo el cuerpo.

MASAJE EN HOMBROS Y ESPALDA

Es común notar dolor o acumular tensión en la parte alta de la espalda y en los hombros durante el embarazo, ya sea a causa de adoptar una mala postura o por la sobrecarga del peso, tanto del pecho como del vientre. Cuando esto ocurre, relajar la zona mediante un corto masaje puede ser de gran ayuda a la gestante. Es importante recordar, cuando se lleven a cabo masajes en esta zona, que la gestante debe **adoptar una postura correcta**, que no dañe su espalda ni sea incómoda para ella o para el feto.

Échese en el suelo o en la cama boca abajo o de lado y deje que su pareja **coloque las manos firmemente sobre sus omoplatos**, apoyando los pulgares en la parte superior de éstos y girándolos con lentitud sin separar las manos de su cuerpo.

2 A continuación, siéntese apoyada en cojines con las piernas separadas. Su pareja se sentará enfrente de usted y **colocará las manos sobre sus hombros presionando hacia atrás**. En esta postura pueden practicarse respiraciones torácicas o abdominales lentas y profundas.

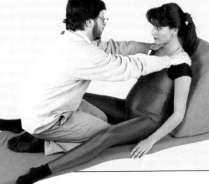

RELAJAR LAS EXTREMIDADES

Siguiendo el esquema corporal de
la cabeza a los pies, tras relajar la cabeza
y los hombros con los masajes indicados
anteriormente, puede procederse a
**distender los brazos, aplicando una
simple presión de arriba a abajo**.
Asimismo, debido a que durante el
embarazo las extremidades inferiores, por
la sobrecarga de peso que experimentan,
tienden a agarrotarse, el paso siguiente
será el masaje en las piernas. Los masajes
en las extremidades son beneficiosos
porque, al reducir la tensión en
los músculos, facilitan su extensión.

1 Colóquese sentada sobre sus pies y pida a
su pareja que, sentada a su lado, coloque las
manos alrededor de su brazo. Mientras usted
lo tensa, su pareja le hará **presión en los
músculos, bajando lentamente** desde
los hombros hasta la muñeca.

2 Siéntese con la espalda
apoyada en un cojín o cuña y
las piernas algo separadas. Su
pareja, de rodillas, **aplicará
un masaje persistente**,
aunque no excesivamente
fuerte, **desde los muslos
hasta las rodillas**, moviendo
las manos como si amasara.

El masaje abdominal

*Aunque la gestante pueda
sentir a menudo molestias
en la zona abdominal,
su pareja debe ser muy
cauta en esta zona,*

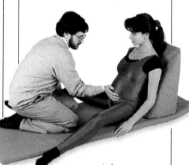

*especialmente
durante el último mes
de embarazo. Cuando se
apliquen masajes en la ella
siempre deben ser con
la punta de los dedos,
de abajo hacia arriba y de
forma muy suave, como si se
quisiera acariciar con
delicadeza la cabeza
del bebé.*

CONSEJOS PRÁCTICOS

Relajación por tacto durante el parto

*Si durante todo el embarazo su pareja le ha practicado masajes
para relajar las partes del cuerpo que tenía en tensión,
probablemente deseará, cuando llegue el momento de dar a luz,
que el futuro padre esté a su lado y colabore también con ciertos
masajes aliviando el dolor en zonas agarrotadas o tensas.
A veces, la parturienta contrae las nalgas antes de llegar
a la fase final del parto, cuando el feto está descendiendo.
Si esto ocurre, la contracción involuntaria de este músculo suele
dificultar la fase del expulsivo. Entonces, es muy recomendable
realizar presión con los puños en la zona, dando pequeños
pero contínuos golpes y, de ese modo, romper el agarrotamiento
del músculo y relajar la zona.*

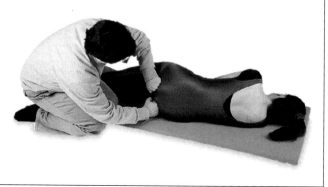

RELAJACIÓN EN EL AGUA

Todo el mundo sabe que sumergirse en el medio acuático
contribuye a la relajación muscular. Por ello, durante el
embarazo, es muy aconsejable cualquier tipo de ejercicio en
el agua, puesto que siempre es menos brusco y representa
un esfuerzo menor para la embarazada. En algunos centros
de preparación utilizan la piscina para aplicar técnicas de
relajación. Este método tiene la ventaja de conseguir la
relajación del cuerpo de forma más rápida e inconsciente,
pero, a no ser que se prevea un parto en el agua (poco
frecuente en la mayoría de los países), no tiene aplicación
directa el día que la mujer va a dar a luz.

APLICACIÓN DEL ENTRENAMIENTO SOFROLÓGICO DURANTE EL PARTO

La maternidad no es el parto: la mujer que va a ser madre cuando llega al final de su embarazo lleva nueve meses de estrecha relación e intercambio de sensaciones corporales con ese ser vivo que crece y se desarrolla dentro de su cuerpo. Ella, que acaba de experimentar profundas transformaciones en su esquema corporal y existencial, que siente inseguridad e inestabilidad, es y va a ser la pieza clave para el adecuado desarrollo afectivo de su hijo. Para esa tarea necesita armonía y equilibrio psíquicofísico, confianza y seguridad en ella misma y esperanza en el futuro, características que el entrenamiento sofrológico potencia y estimula. Al final del proceso, se encontrará con uno de los momentos clave: el parto. Si el entrenamiento sofrológico ha sido adecuado lo vivirá intensamente y controlará adecuadamente su cuerpo.

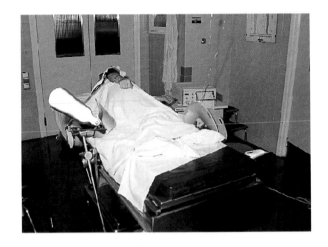

DURANTE LA FASE DE DILATACIÓN

El entrenamiento sofrológico proporciona una actitud positiva a la mujer frente a las sensaciones y circunstancias que envuelven el proceso del parto. No es necesario aplicar una técnica concreta para afrontar las contracciones. Lo más natural, tras un período de aprendizaje y práctica de las técnicas de relajación, es que, cuando llegue el momento, la mujer se sienta tranquila y segura, sin más. A medida que las contracciones van haciéndose más intensas y duraderas, las sensaciones que éstas le producen requerirán, posiblemente, poner en práctica su capacidad de relajarse. En este momento debe intentarse, en la medida de lo posible, disminuir los estímulos externos para

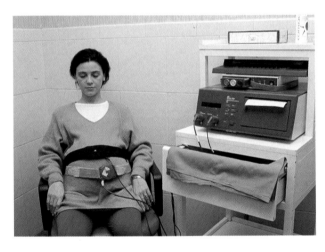

facilitar la capacidad de la mujer para concentrarse. Cada mujer aplicará a su manera lo entrenado. Autodirigiéndose, la parturienta intentará relajar su cuerpo, aflojar los músculos de la cara, los brazos, las manos, el periné...; se concentrará en un objeto neutro (flor, paisaje, etc...); pensará en su hijo, y se aplicará, estando relajada, en acoplar la respiración a las sensaciones de las contracciones. Una forma eficaz de controlar las contracciones intensas, incluso dolorosas, es adoptando la postura de tercer grado de la relajación dinámica, que permite a la mujer estar relajada y atenta a la vez.

En las salas de dilatación es bueno que la mujer debe **adoptar la postura en la que mejor se encuentre** y que le permita relajarse con más facilidad.

La utilización del monitor para el control del bienestar fetal y de las contracciones de la madre **no debe limitar la posibilidad de relajarse**.

La postura de tercer grado de la relajación dinámica de Caycedo permite a la mujer **estar relajada y alerta a la vez** durante el trabajo de parto. Asimismo, le ayuda **a sincronizar su respiración con las contracciones**.

El aprendizaje de la forma de apretar en la fase del expulsivo en el parto forma parte de todo entrenamiento prenatal. El pujo se puede entrenar también intrasofrónicamente, es decir, dentro de la relajación, de esta forma, si la mujer se encuentra en un nivel de semivigilia, cuando está más inmersa en su mundo interior, lo aprenderá más rápidamente y mejor. Después de unos meses de entrenarlo, cuando la mujer debe pujar realmente, lo hace con naturalidad y aprovechando al máximo su energía.

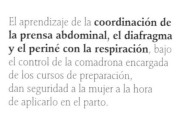

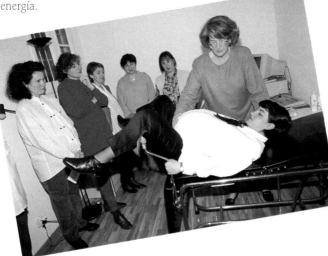

El aprendizaje de la **coordinación de la prensa abdominal, el diafragma y el periné con la respiración**, bajo el control de la comadrona encargada de los cursos de preparación, dan seguridad a la mujer a la hora de aplicarlo en el parto.

Si la mujer **conoce el mecanismo del pujo y lo ha entrenado** potenciará el efecto de un movimiento que, de forma intuitiva y natural, toda parturienta sabe hacer.

LA RESPIRACIÓN DURANTE EL PARTO

La respiración libre, espontánea y rítmica abastece las necesidades de oxígeno de la madre y del hijo en un parto que se desarrolle con normalidad. Durante la fase de dilatación, para controlar las sensaciones derivadas de las contracciones, se pueden **realizar respiraciones lentas de espiración prolongada**, movilizando pecho o vientre o respiraciones superficiales rápidas siguiendo el ritmo de la sensación de la contracción. La utilización de uno u otro patrón respiratorio depende única y exclusivamente de las sensaciones que aprecie la mujer, aunque en algún caso, ocasionalmente, la comadrona le puede pedir que cambie el patrón respiratorio. **Respirar adecuadamente** (al ritmo de la contracción) y **saber relajarse** son los dos factores de más ayuda para la mujer durante el proceso del parto.

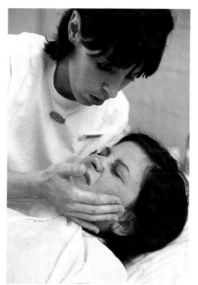

Cuando se necesita inspirar de nuevo durante la contracción, **debe hacerse de forma rápida y sin perder la fuerza** de la prensa abdominal.

La **comadrona debe ayudar a la mujer a que coja el ritmo respiratorio adecuado** durante los pujos, especialmente si ésta ha recibido anestesia epidural y no nota las contracciones.

RECUERDE

- *Relajarse y sincronizar las respiraciones con las contracciones le será de gran ayuda en el momento del parto, practique cada día.*

- *Intente aplicar las técnicas de relajación aprendidas en los cursos en el momento del parto y vivirá el parto más intensamente. Si logra no estar tensa durante el parto, se cansará mucho menos, puesto que, con seguridad, no gastará energía innecesariamente.*

- *Enséñele todos los patrones de respiración a su pareja y entrénelos con él, el día del parto le podrá ayudar.*

- *Los pujos se sincronizan con las contracciones de la fase expulsiva del parto.*

- *El primer pujo es importante hacerlo en el momento en que la comadrona se lo indique, nunca antes.*

Durante los tres primeros meses de embarazo sufrí algunas pérdidas y tuve que hacer reposo absoluto. Ahora, cuando estoy iniciando el quinto mes de gestación me han desaparecido totalmente las molestias y me han asegurado que puedo hacer vida normal. ¿Puede suponer algún riesgo que realice entrenamiento en un curso de preparación a la maternidad?

Siempre que no exista ninguna contraindicación específica por parte de su ginecólogo, y una vez superados los problemas del primer trimestre de gestación, usted podrá acudir sin ninguna reserva a las clases prácticas, al igual que realizar en casa un entrenamiento continuado. En su caso, además, es fundamental que realice un entrenamiento de relajación, puesto que el hecho de haber sufrido problemas en los primeros meses puede hacerle afrontar el embarazo y el parto con más temores.

Mi pareja está muy ilusionada en acompañarme en el momento del parto, pero a causa de su apretado horario laboral no ha podido asistir conmigo a las clases de preparación a la maternidad. ¿Puede esto suponer un problema?

Aunque la asistencia de la pareja a los cursos se considera importante, especialmente de cara a que pueda ayudarla a relajarse y a respirar bien en el momento del parto, si el futuro padre no puede asistir a los cursos preparatorios, usted le puede hacer participar enseñándole lo que vaya aprendiendo en ellos y practicando con él en casa. Recuerde, además, que el apoyo moral y la sensibilidad ante lo que usted esté sintiendo en el momento de dar a luz, será lo más preciado cuando llegue el momento.

Soy una persona muy nerviosa y emotiva, cualquier situación nueva me provoca estrés y nunca consigo relajarme. Creo que, aunque acuda a un centro de preparación, no voy a ser capaz de relajarme en el momento del parto, ¿qué debo hacer?

Aunque usted crea que no logrará relajarse, toda persona que se entrene adecuadamente es capaz de relajarse. Es cierto que hay mujeres con una disponibilidad mayor a las que no cuesta controlar el tono muscular de su cuerpo y que, con rapidez, logran situar su cuerpo en el nivel de semivigilia adecuado para relajarse, sin embargo, esto no quiere decir que haya personas que no puedan conseguir relajarse. La relajación, como toda técnica, requiere mucho entrenamiento, no defallezca y acuda a un centro. Precisamente las personas más nerviosas son las que más deben conseguir dominar su cuerpo durante el parto. El aprendizaje no sólo le será útil para afrontar el en el momento de dar a luz, sino que le será de gran ayuda durante toda la vida.

Me resulta muy difícil imaginar cómo debe ser una contracción y, por ello, no termino de dominar el mecanismo de los patrones respiratorios adecuado durante el parto. ¿Será distinto cuando me encuentre realmente de parto?

Es evidente que, si usted conoce y ha entrenado las respiraciones apropiadas para el trabajo de parto, en el momento que vaya a dar a luz y note las contracciones le va a ser más fácil respirar correctamente. Siga, durante el período de dilatación y en el momento del expulsivo las indicaciones de la comadrona que le atienda. Si está asistiendo a un curso de preparación le convendría ensayar las respiraciones cuando esté relajada, puesto que, en este nivel mental es más fácil controlar el propio cuerpo e imaginar el ritmo de la contracción.

Asisto a un curso de preparación y consigo relajarme bajo la dirección de la comadrona y en el ambiente tranquilo y conocido del centro, sin embargo, cuando quiero practicar en casa, no logro controlar mi cuerpo. ¿Qué debo hacer?

Es normal que le sea más fácil relajarse con la dirección de una tercera persona o en un ambiente tranquilo, sin embargo, en el momento del parto, estas condiciones no se cumplirán, por lo que debe entrenar más si quiere lograr una buena relajación durante el parto. Le recomiendo que empiece por intentar relajarse en un ambiente con estímulos externos, pero bajo la dirección de la preparadora y, finalmente, ensaye de hacerlo autodirigiéndose.

RECUERDE

• *La relajación es fundamental para afrontar el parto y la tensión que lo envuelve porque ayuda a poseer un total dominio del cuerpo.*

• *La relajación ayuda a canalizar las energías necesarias para el parto hacia los músculos que deben realizar esfuerzo y a no gastar fuerzas innecesariamente.*

• *La relajación requiere práctica: debe empezarse en un ambiente tranquilo y en posición cómoda y, posteriormente, entrenarse en cualquier situación.*

• *Existen tres tipos de respiración adecuadas para el parto: la respiración torácica, la respiración abdominal y la respiración superficial. Todas ellas deben seguir el ritmo de la contracción. Aprenderlas requiere un entreno continuado.*

• *La sofrología, es la ciencia que se ocupa del equilibrio entre la mente y el cuerpo por medio de la relajación y la autoconciencia. Fue fundada en 1960 por el psiquiatra Alfonso Caycedo.*

• *Las respiraciones útiles para el parto pueden entrenarse dentro de la relajación, es decir, mediante lo que se llama entrenamiento intrasofrónico.*

• *El entrenamiento sofrológico adaptado a la gestante aplica fundamentalmente tres técnicas: la sofronización simple, la sofroaceptación progresiva y la relajación dinámica.*

• *La técnica de relajación por tacto es muy útil para practicar en pareja y para aliviar dolores propios del embarazo y del parto.*

• *Si la gestante sabe aplicar correctamente las técnicas de relajación y respiración aprendidas durante el parto, vivirá más intensamente este acontecimiento tan importante de su vida.*

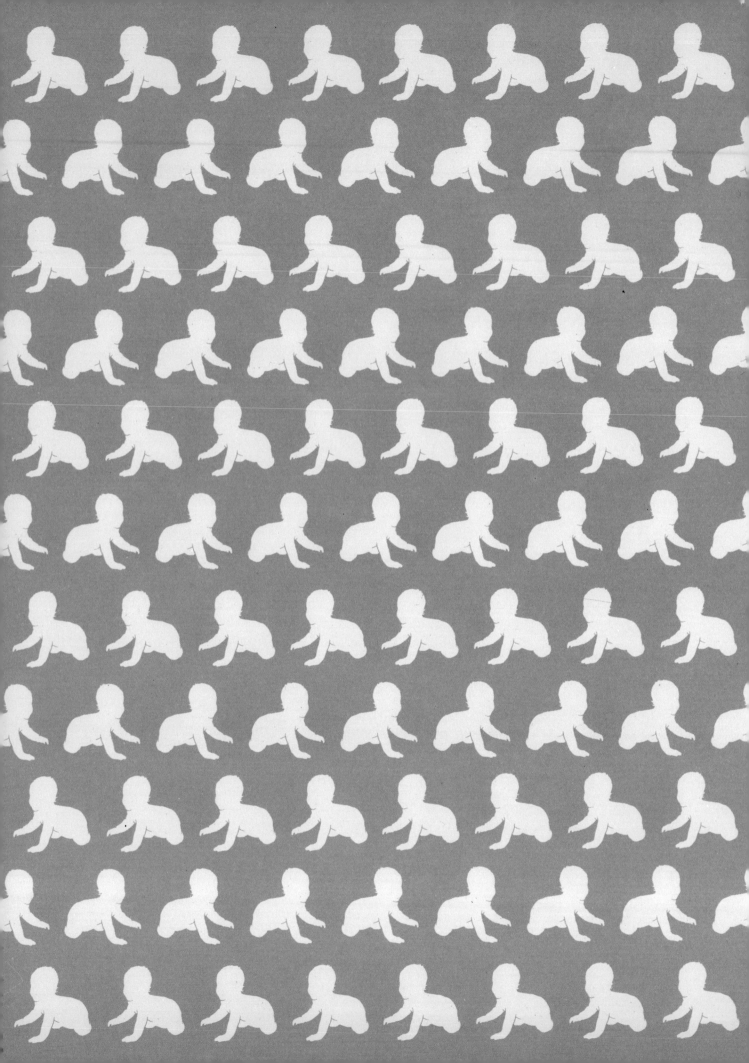